Grammaire

350 exercices
Niveau débutant

J. Bady, I. Greaves, A. Petetin
Professeurs aux Cours de Civilisation
française de la Sorbonne

NOUVELLE ÉDITION

CORRIGÉS

HACHETTE
Livre
Français langue étrangère
58, rue Jean-Bleuzen, 92170 VANVES

La phrase simple

La phrase complexe

Maquette de couverture : Version Originale.
Maquette et mise en pages : Joseph Dorly Éditions.

ISBN : 2-01-1550572

CHAPITRE 1

La structure de la phrase. Les verbes *être* et *avoir*

1

A/
1. Moi, je suis. **2.** Toi, tu es. **3.** Lui, il est. **4.** Elle, elle est. **5.** Nous, nous sommes. **6.** Vous, vous êtes. **7.** Eux, ils sont. **8.** Elles, elles sont. **9.** nous sommes. **10.** vous êtes.

B/
1. Moi, je ne suis pas. **2.** Toi, tu n'es pas. **3.** Lui, il n'est pas. **4.** Elle, elle n'est pas. **5.** Nous, nous ne sommes pas. **6.** Vous, vous n'êtes pas. **7.** Eux, ils ne sont pas. **8.** Elles, elles ne sont pas. **9.** nous ne sommes pas. **10.** vous n'êtes pas.

2

A/
1. C'est un journaliste. Il est italien. **2.** C'est une hôtesse. Elle est jolie. **3.** C'est un médecin. Il est connu. **4.** C'est un étudiant. Il est intelligent. **5.** C'est un écrivain. Il est célèbre. **6.** C'est une avocate. Elle est américaine.

B/
1. C'est un téléphone. Il est pratique. **2.** C'est une voiture. Elle est rapide. **3.** C'est une cuisine. Elle est moderne. **4.** C'est une chaise. Elle est solide. **5.** C'est un manteau. Il est rouge. **6.** C'est un lit. Il est confortable.

3

1. Tu es assis. Vous êtes debout. **2.** Nous sommes à Paris. Vous n'êtes pas en France. **3.** C'est un garçon. Il est blond. **4.** Tu es une amie charmante. Nous sommes ensemble. **5.** Ce sont des étudiants. Ils sont en vacances. **6.** Je suis à table. Il (elle) est avec moi. **7.** Ils sont chauffeurs de taxi. Elles sont vendeuses. **8.** C'est un autobus. Il est dans la rue. **9.** Tu es à l'heure. Il est cinq heures. **10.** Ce sont des pains. Ils sont dans la boulangerie.

4

1. J'ai une voiture. **2.** Elle a des lunettes. **3.** Il a une moto. **4.** Vous avez les yeux bleus. **5.** Tu as un chat. **6.** il y a une piscine. **7.** Nous avons un jardin. **8.** Ils ont une grande maison. **9.** Monsieur et Madame Dubois ont deux enfants. **10.** En France, on a un Président de la République.

5

A/
1. Il y a un homme. C'est M. Martin.
2. Il y a des clients. Ce sont des touristes.
3. Il y a des arbres. Ce sont des sapins.
4. Il y a trois tasses. Ce sont des tasses à café.
5. Il y a une lettre. C'est une lettre de Pierre.

B/
1. Il y a des exercices. Ils sont difficiles.
2. Il y a une clé. Elle est à Odile.
3. Il y a des chaussures. Elles sont à David.
4. Il y a des livres. Ils sont intéressants.
5. Il y a un musée. Il est grand.

6

A/
1. J'ai une montre. **2.** Tu as un beau bébé. **3.** Il y a des plantes. **4.** Il (elle) a un stylo. **5.** Vous avez des amis. **6.** Nous avons le temps.

B/
1. Nous avons des idées. **2.** Nicolas et Paul ont un studio. **3.** il y a des autobus. **4.** Vous avez les yeux noirs. **5.** On a un rendez-vous.

C/
1. Tu as chaud, tu n'as pas froid.
2. J'ai faim, je n'ai pas soif.
3. Il a peur, il n'a pas sommeil.
4. Ils ont mal aux dents, ils n'ont pas mal à la tête.
5. Vous avez besoin, vous n'avez pas envie.

7

A/
1. Je ne suis pas jeune. J'ai soixante-dix ans.
2. Tu n'es pas vieux. Tu as vingt ans.
3. C'est un adolescent. Il a quinze ans.
4. Elle est âgée. Elle a soixante-quinze ans.
5. Nous sommes des enfants. Nous avons des parents.
6. Vous êtes des parents. Vous avez des enfants.
7. Ils sont professeurs. Ils ont des élèves.
8. Elles sont secrétaires. Elles ont des ordinateurs.
9. Moi, je suis pianiste. J'ai un piano.
10. Eux, ils sont riches. Ils ont un bateau.

B/

1. La jeune fille est musicienne. Elle a un violon.
2. Tu es blond. Tu as les cheveux blonds.
3. Ils sont forts. Ils ont de la force.
4. Vous êtes chanteur. Vous avez une belle voix.
5. Elle est mince. Elle a vingt ans.
6. Je suis marié. J'ai une femme.

8

A/

1. Aurélie est étudiante. Elle est française
2. Elle est blonde. Elle a les yeux verts.
3. Elle a deux frères. Ils sont à Paris.
4. Ils ont un grand appartement. Il est confortable.
5. Les parents d'Aurélie sont commerçants.
6. Ils ont un magasin de vêtements.
7. Ils ont beaucoup de clients. Ils sont riches.

8. Le magasin est dans le cinquième arrondissement.
9. il y a deux vendeuses. Elles sont jeunes.
10. Il y a des prix. C'est une bonne boutique.

B/

1. J'ai une flûte. Je suis flûtiste.
2. Elle est médecin. Elle a des malades.
3. Tu as un taxi. Tu es chauffeur de taxi.
4. Ils sont boulangers. Ils ont une boulangerie.
5. Boris est étranger. Il a un visa.

C/

1. Les enfants sont à table. Ils ont faim.
2. Vous êtes en Alaska. Vous avez froid.
3. Natacha est malade. Elle a mal à la gorge.
4. Les touristes sont en Grèce. Ils ont chaud.
5. Le chien est sous le lit. Il a peur.

CHAPITRE 2

Les articles

1

1. un garçon, une fille.
2. une voiture, un train.
3. des exercices, des phrases.
4. un médecin, un hôpital.
5. une lettre, un journal et des publicités.
6. une musicienne, un orchestre.
7. des plantes et une cage avec un oiseau.
8. une église, un château et des jardins.
9. Dans un magasin, un vendeur et des clients.
10. des étudiants et des touristes.

2

A/

1. La télévision ... le salon.
2. Les fleurs ... le vase.
3. Le réveil ... la table.
4. Le thé ... la tasse
5. Les oiseaux ... les arbres.
6. La lettre ... la boîte.

B/

1. Les (L') autobus et les voitures ... l'avenue.
2. L'étudiant et le professeur ... l'université.
3. À Paris, le printemps est frais, l'été est chaud.
4. l'hôtel et l'hôpital ... la rue principale.
5. En France, l'hiver est froid, l'automne est doux.

C/

À Paris, le matin, dans la rue, les gens sont pressés. Les hommes achètent le journal et regardent les articles de la première page. Les enfants vont à l'école. Ils montent dans l'autobus ou entrent dans le métro. Les commerçants ouvrent les boutiques, c'est l'heure de faire les courses. Les voitures roulent vite, la ville est active, la journée commence.

3

A/

1. au premier étage. 2. au jambon. 3. aux herbes. 4. Au printemps, ... 5. au concert. 6. au musée et au restaurant. 7. Il n'a pas mal aux oreilles. 8. au sous-sol. 9. une tarte aux fraises. 10. une omelette aux champignons.

B/

1. la vitrine du magasin.
2. les dates des vacances.
3. La couleur du ciel
4. Le départ du train
5. la photo du président.
6. les passeports des touristes.
7. Les jouets des enfants
8. la coupe du monde
9. Les visites des musées
10. L'avenue des Champs-Élysées

4

A/

Il est au café. C'est la chambre de l'enfant.
Il est à la gare. C'est la chambre des parents.
Il est à l'école. C'est la chambre du grand-père.
Il est aux sports d'hiver. C'est la chambre de la jeune fille.

B/

1. au milieu de la place.
2. au coin de la rue.
3. au bout du couloir.
4. à l'étranger.
5. À la fin du livre, ...
6. Au début du film, ...
7. au guichet de la poste...
8. aux terrasses des cafés.
9. au bord de la Seine.
10. À la maison, ...

5

1. Vous avez des problèmes. J'ai une idée.
2. l'adresse de la discothèque du quartier.
3. un exercice. le livre de grammaire.
4. À la maison, les photos des enfants ... la cheminée.
5. Ce sont les billets du concert de rock.
6. un rendez-vous avec un copain.
7. le poulet et les frites.
8. un frère et une sœur.
9. des accidents sur les routes.
10. mal aux pieds, mal aux jambes.

6

A/

1. La tulipe est une fleur.
2. Le Mali est un pays d'Afrique.
3. Le tennis est un sport.
4. La peinture est un art.
5. L'Atlantique est un océan.
6. Le poker est un jeu.

B/

1. C'est un parc, c'est le parc de la ville.
2. C'est une église, c'est l'église du village.
3. C'est un menu, c'est le menu du restaurant.
4. C'est un jeu vidéo, c'est le jeu vidéo des enfants.
5. C'est un aéroport, c'est l'aéroport de Moscou.
6. C'est un chauffeur, c'est le chauffeur de l'auto-bus.

C/

1. Magali a les yeux noirs. **2.** Sébastien a les mains sales. **3.** Olivia a le visage rond. **4.** Juliette a les cheveux longs. **5.** Laurent a les dents blanches. **6.** Charlotte a le nez droit.

D/

Voici un immeuble neuf. Il a une grande porte vitrée, un ascenseur, des couloirs modernes. Voilà la porte de l'appartement ... . C'est un « deux pièces ». ... une entrée, un salon, une chambre, une salle de bains et une cuisine. L'appartement a des fenêtres larges et une belle vue. ... des oiseaux dans les arbres. La nuit, le silence total et le calme... .

7

1. du dentifrice **2.** de la moutarde **3.** de l'eau **4.** des bonbons **5.** du champagne **6.** du chocolat. **7.** de la musique. **8.** de la chance. **9.** du bruit. **10.** du vin.

8

A/

1. un peu de fièvre.
2. assez de vêtements.
3. assez de place, trop de jouets.
4. peu d'argent, beaucoup de problèmes.
5. peu de temps, trop de travail.
6. beaucoup de sel et un peu de poivre.
7. assez de neige.
8. un peu de brouillard et beaucoup de nuages.
9. beaucoup d'orages et trop de pluie.
10. beaucoup de soleil et peu de vent.

B/

1. Voici un morceau de sucre.
2. Voici deux bouteilles de vin.
3. Voilà un kilo d'oranges.
4. Voici un pot de confiture.
5. Voici un litre d'huile.
6. Voici trois tranches de pain.

9

A/

1. une raquette de tennis. **2.** un billet d'avion. **3.** une carte de séjour. **4.** un ticket de métro. **5.** un numéro de téléphone. **6.** un homme d"affaires.

B/

Ce sont des trains de nuit, des nuits d'hiver, des stations de ski, des couchers de soleil, des feux de bois, des manteaux de fourrure, des femmes de rêve, des minutes de silence, des heures d'amour.

C/

A dos   **B** thé   **C** lettres   **D** voiles   **E** dents

10

A/

1. Il y a un arbre dans la rue. **2.** Où est la clé de la chambre ? **3.** As-tu une bouteille de lait ? **4.** C'est le héros du film. **5.** L'œuvre de l'artiste est dans le musée.

B/

1. Les photos des acteurs sont aux murs. **2.** Ce sont les musiques des films. **3.** Il y a des réponses aux questions. **4.** Voici les sacs et les valises de Charlotte. **5.** Ce ne sont pas des cartes de France, ce sont des plans de Paris.

11

A/

... le musée du Louvre. ... l'entrée des visiteurs. ... sous la pyramide. ... un escalier, un grand hall avec des comptoirs. ... vers les salles du musée. Il y a du monde, du bruit et aussi beaucoup de touristes et peu de bancs. ... à la cafétéria ... une tasse de thé. ... C'est une visite intéressante.

B/

... à la boucherie pour acheter de la viande et à la boulangerie pour acheter du pain. ... à la banque pour retirer de l'argent. ... un temps horrible. Il y a de la pluie et du vent.

CHAPITRE 3

Les noms

1

A/
1. Une amie. 2. Une étudiante. 3. Une candidate. 4. Une employée. 5. Une inconnue. 6. Une Française. 7. Une Allemande. 8. Une Africaine. 9. Une Espagnole. 10. Une Danoise.

B/
1. Une cuisinière. 2. Une passagère. 3. Une ouvrière. 4. Une romancière. 5. Une boulangère.

C/
1. Une Brésilienne. 2. Une championne. 3. Une patronne. 4. Une Européenne. 5. Une chatte.

D/
1. Une tigresse. 2. Une maîtresse. 3. Une hôtesse.

E/
1. Une coiffeuse. 2. Une danseuse. 3. Une chanteuse. 4. Une skieuse. 5. Une voleuse. 6. Une nageuse. 7. Une chômeuse. 8. Une vendeuse. 9. Une tricheuse. 10. Une menteuse.

F/
1. Une actrice. 2. Une productrice. 3. Une auditrice. 4. Une institutrice. 5. Une électrice. 6. Une directrice. 7. Une présentatrice. 8. Une conductrice. 9. Une animatrice. 10. Une traductrice.

G/
1. Une Russe. 2. Une journaliste. 3. Une locataire. 4. Une propriétaire. 5. Une cinéaste. 6. Une photographe. 7. Une touriste. 8. Une secrétaire. 9. Une pianiste.

2

1. une hôtesse 2. un champion 3. la traductrice 4. une bonne cuisinière. 5. une employée 6. une jolie Danoise. 7. Le propriétaire 8. Le chanteur est avec une actrice. 9. la patronne 10. La voyageuse ...

3

1. Une femme. 2. Une fille. 3. Une fille. 4. Une soeur. 5. Une mère. 6. Une tante. 7. Une femme. 8. Une nièce. 9. Une reine. 10. Une héroïne. 11. Une copine. 12. Une jeune fille. 13. Une grand-mère. 14. Une jumelle. 15. Une maman.

4

1. C'est une tante. C'est un oncle.
2. C'est une actrice. C'est un acteur.
3. C'est un chômeur. C'est une chômeuse.
4. C'est une femme. C'est un homme.
5. C'est un boulanger. C'est une boulangère.
6. C'est une Chinoise. C'est un Chinois.
7. C'est une fille. C'est un garçon.
8. C'est une copine. C'est un copain.
9. C'est un menteur. C'est une menteuse.
10. C'est une nièce. C'est un neveu.
11. C'est un comédien. C'est une comédienne.
12. C'est un chat. C'est une chatte.
13. C'est une reine. C'est un roi.
14. C'est une lectrice. C'est un lecteur.
15. C'est un mari. C'est une femme.

5

A/
1. Des hommes et des femmes. 2. Des boulevards et des trottoirs. 3. Des détails et des conseils. 4. Des cris et des fous. 5. Des bals et des festivals.

B/
1. Des hôpitaux
2. Des métaux
3. Des journaux
4. Des animaux
5. Des canaux
6. Des travaux

C/
1. Des cheveux
2. Des jeux
3. Des neveux
4. Des voeux
5. Des adieux
6. Des bijoux
7. Des choux
8. Des cailloux
9. Des châteaux
10. Des manteaux
11. Des morceaux
12. Des gâteaux
13. Des couteaux
14. Des tableaux
15. Des peaux

D/
1. Des bras
2. Des mois
3. Des pays
4. Des cours
5. Des bois
6. Des fils
7. Des Polonais
8. Des toux
9. Des choix
10. Des prix

E/
1. Messieurs. 2. Mesdames. 3. Mesdemoiselles. 4. Des yeux. 5. Des jeunes gens.

6

A/

1. Mesdames, Mesdemoiselles, Messieurs.
2. dans les journaux, il y a des détails sur le vol des bijoux de la comtesse.
3. Sur les plateaux, il y a des couteaux, des fourchettes, des morceaux de pain, des noix, des choux à la crème, des gâteaux au chocolat et des tasses de thé.
4. Les chevaux sont des animaux. Les rossignols sont des oiseaux. Les saumons sont des poissons. Les tulipes sont des fleurs. Les cactus sont des plantes.

B/

1. Ce sont les neveux des voisines. 2. Ce ne sont pas les fils des propriétaires. 3. Ce sont des fous de cinéma. 4. Ce sont des pays d'Europe. 5. Voici les prix des repas.

7

1. C'est un jeune homme. 2. Voici le locataire de l'appartement. 3. Le jeu de l'enfant est sur le tapis. 4. À la fenêtre de l'église, il y a un vitrail. 5. C'est un réveil et un appareil photographique.

8

A/

Le journalisme	l'année
la vitesse	la qualité
la répétition	la journée
l'économie	la liberté
l'appartement	le fromage
la chaussure	l'entrée
la vérité	la quantité
la paresse	la coiffure
la volonté	le miroir
le gouvernement	la vie
la traduction	le vêtement
le trottoir	l'escalier
le pommier	le voyage
l'exposition	la jeunesse
la voiture	la bouchée
le pâtissier	l'étage
l'action	la chimie
le visage	le réalisme
la prononciation	l'adresse
le garage	l'impressionnisme

B/

1. Dans le musée. 2. C'est un problème de mathématiques. 3. Nous sommes au XXᵉ siècle. 4. un programme de télévision intéressant. 5. Le téléphone...

CHAPITRE 4

Les adjectifs

1

A/
1. La fleur est jolie.
2. La photo est ratée.
3. La viande est crue.
4. Elle est nue.
5. Elle n'est pas mariée.

B/
1. Les bouquets de fleurs sont jolis. Les fleurs sont jolies.
2. Les dessins sont ratés. Les photos sont ratées.
3. Les poissons sont crus. Les viandes sont crues.
4. Ils sont nus ... Elles sont nues...
5. Ils ne sont pas mariés. Elles ne sont pas mariées.

2

A/
1. un garçon brun, une fille brune.
2. l'appartement voisin, la famille voisine.
3. un roman contemporain, une pièce contemporaine.
4. le mois prochain, l'année prochaine.
5. un verre plein, une bouteille pleine.
6. Le vin est bon, la cuisine est bonne.
7. Le palais est ancien, l'église est ancienne.
8. le parlement européen, la communauté européenne.
9. un monument égyptien, une pyramide égyptienne.
10. un chant breton, une danse bretonne.

B/
1. le futur champion, la future championne.
2. Le studio est clair, la chambre est claire.
3. Le pantalon est noir, la jupe est noire.
4. C'est le meilleur vin, c'est la meilleure bière.
5. L'étudiant est seul, l'étudiante est seule...
6. Le garçon est grand et blond, la fille est grande et blonde.
7. Le vent est chaud ou froid, la saison est chaude ou froide.
8. Le couloir est petit et étroit, l'entrée est petite et étroite.
9. Le concert est gratuit, l'exposition est gratuite.
10. Il n'est pas content, elle n'est pas contente.

1. Ce sont les futurs champions, les futures championnes.
2. Les studios sont clairs, les chambres sont claires.
3. Les pantalons sont noirs, les jupes sont noires.
4. Ce sont les meilleurs vins, ce sont les meilleures bières.
5. Les étudiants sont seuls, les étudiantes sont seules.
6. Les garçons sont grands et blonds, les filles sont grandes et blondes.
7. Les vents sont chauds ou froids, les saisons sont chaudes ou froides.
8. Les couloirs sont petits et étroits, les entrées sont petites et étroites.
9. Les concerts sont gratuits, les expositions sont gratuites.
10. Ils ne sont pas contents, elles ne sont pas contentes.

C/
1. L'alcool est mauvais, la drogue est mauvaise.
2. Le croissant est français, la brioche est française.
3. Le nuage est gris, la journée est grise.
4. Il est suédois, elle est suédoise.
5. L'homme est assis, la femme est assise
6. Le lit est bas, la table est basse.
7. Il a un nez très gros et une tête très grosse.
8. Il porte un manteau épais et une veste épaisse.

1. Les alcools sont mauvais, les drogues sont mauvaises.
2. Les croissants sont français, les brioches sont françaises.
3. Les nuages sont gris, les journées sont grises.
4. Ils sont suédois, elles sont suédoises.
5. Les hommes sont assis, les femmes sont assises...
6. Les lits sont bas, les tables sont basses.
7. Ils ont des nez très gros et des têtes très grosses.
8. Ils portent des manteaux épais et des vestes épaisses.

3

A/
1. C'est l'idée principale.
2. C'est une société internationale.
3. C'est une soirée spéciale.
4. C'est une œuvre géniale.
5. C'est une cuisine régionale.

B/

1. Ce sont les mots principaux. Ce sont les idées principales.
2. Ce sont des groupes internationaux. Ce sont des sociétés internationales.
3. Ce sont des jours spéciaux. Ce sont des soirées spéciales.
4. Ce sont des artistes géniaux. Ce sont des œuvres géniales.
5. Ce sont des plats régionaux. Ce sont des cuisines régionales.

4

1. C'est une situation actuelle. **2.** C'est une réunion annuelle. **3.** Tu as une opinion personnelle. **4.** C'est une partie nulle. **5.** Elle n'est pas pareille.

5

A/

1. c'est une baguette entière.
2. une valise légère.
3. c'est la dernière minute.
4. ce sont des étudiantes étrangères.
5. c'est une boutique trop chère.

B/

1. L'hôtel est complet, l'auberge de jeunesse est complète. **2.** J'ai des amis discrets et des amies discrètes. **3.** C'est un regard indiscret, c'est une question indiscrète. **4.** Le père est inquiet, la mère est inquiète. **5.** Les renseignements sont incomplets, les réponses sont incomplètes.

6

A/

1. elle est amoureuse et heureuse.
2. la conductrice est furieuse.
3. ce n'est pas une course dangereuse.
4. Est-elle courageuse ou peureuse ?
5. il a une femme jalouse.

B/

1. Ils sont amoureux et heureux ; elles sont amoureuses et heureuses.
2. Les conducteurs sont furieux ; les conductrices sont furieuses.
3. Ce sont des sports dangereux, ce ne sont pas des courses dangereuses.
4. Sont-ils courageux ou peureux ? Sont-elles courageuses ou peureuses ?
5. Elles ont des maris jaloux ; ils ont des femmes jalouses.

7

1. une association sportive.
2. la réponse est négative.
3. une adolescente agressive.
4. une voiture neuve.
5. elle est naïve.

8

1. Les fauteuils sont jaunes et rouges.
2. Les musiciennes sont jeunes et timides.
3. Les pièces sont vides et tristes.
4. Les chemises de Marc sont sales ou propres.
5. Ce sont des trains rapides.

9

A/

1. un regard doux, une voix douce.
2. Le jeune homme est roux, la jeune fille est rousse.
3. Le billet est faux, la pièce ... est fausse.
4. un film muet, une enfant muette.
5. un ami très gentil, une amie très gentille.
6. un garçon menteur, une fille menteuse.
7. un jardin public, une place publique.
8. un port grec, une île grecque.
9. le chanteur favori et la chanson favorite.
10. Il est fou, elle est folle.
11. Le concert est long, l'émission est longue.
12. un texte bref, une lettre brève.
13. Le drap est sec, la serviette est sèche.
14. Le rideau est blanc, la nappe est blanche.
15. Le vin est frais, la cave est fraîche.

B/

1. Ils ont des regards doux, elles ont des voix douces.
2. Les jeunes gens sont roux, les jeunes filles sont rousses.
3. Les billets sont faux, les pièces ... sont fausses.
4. Ce sont des films muets, ce sont des enfants muettes.
5. Ce sont des amis très gentils, ce sont des amies très gentilles.
6. Ce sont des garçons menteurs, ce sont des filles menteuses.
7. Ce sont des jardins publics, ce sont des places publiques.
8. Ce sont des ports grecs, ce sont des îles grecques.
9. Ce sont les chanteurs favoris et les chansons favorites de Jean.
10. Ils sont fous, elles sont folles.
11. Les concerts sont longs, les émissions sont longues.

12. Ce sont des textes brefs, ce sont des lettres brèves.
13. Les draps sont secs, les serviettes sont sèches.
14. Les rideaux sont blancs, les nappes sont blanches.
15. Les vins sont frais, les caves sont fraîches.

10

1. *(Beau)* C'est un beau château
C'est un bel arbre
C'est une belle tour
Les jardins sont beaux
Les fontaines sont belles
2. *(Vieux)* C'est un vieux quartier
C'est un vieil immeuble
C'est une vieille ville
Les habitants sont vieux
Les maisons sont vieilles

11

1. Il y a des garçons très sportifs et des filles très actives.
2. Les nouvelles voisines ... sont gentilles.
3. Ce sont des plantes dangereuses...
4. Les glaces italiennes sont excellentes, les vins espagnols sont bons aussi.
5. Les premiers mois et les premières années ... sont très importants.
6. Il a une longue barbe, des cheveux blancs et des yeux doux.
7. Ce sont des informations exactes avec des détails intéressants.
8. Les vieilles dames sont assises ..., les petits enfants sont assis par terre.

12

A/
1. Voilà de grands jardins et de petites maisons.
2. Ce ne sont pas de très bons danseurs. Ce sont de mauvais danseurs.

3. Ce sont de longs voyages dans de vieilles voitures.
4. Il y a d'autres problèmes. Il y a d'autres solutions.
5. Ce sont de nouvelles vendeuses. Ce sont de jolies filles.

B/
1. Ce ne sont pas des pièces confortables.
2. Ce sont des femmes extraordinaires.
3. Voici des plantes vertes.
4. Ils ont des amies très fidèles.
5. Ce sont des fleurs rouges magnifiques.

13

1. malhonnête	**9.** imprudent
2. antipathique	**10.** indirecte
3. désagréable	**11.** pauvre
4. difficile	**12.** pessimiste
5. mécontent	**13.** fausse
6. inférieure	**14.** gentil
7. anormale	**15.** impossible
8. inégal	**16.** extérieur

14

A	blond comme les blés.
B	rouge comme une tomate.
C	laid comme un pou.
D	simple comme bonjour.
E	bête comme ses pieds.
F	léger comme une plume.
G	doux comme un agneau.
H	fragile comme du verre.
I	vieux comme le monde.
J	malade comme un chien.

CHAPITRE 5

Le présent de l'indicatif

1

A/
Je parle
Tu chantes
Elle danse
Nous étudions
Vous jouez
Ils écoutent.

B/
1. Pierre et Catherine parlent et racontent ...
2. Tu joues ... et tu gagnes.
3. Nicolas aime ... et déteste ...
4. Vous étudiez ... vous travaillez ...
5. J'invite des amis. Nous déjeunons ...

2

A/

Je	possède	Je	lève
tu	possèdes	tu	lèves
il	possède	il	lève
nous	possédons	nous	levons
vous	possédez	vous	levez
ils	possèdent	ils	lèvent

B/
1. Ils possèdent... et nous possédons...
2. Vous espérez ..., j'espère ...
3. Tu soulèves ... . Elle pèse ...
4. Il répète .... Nous répétons ...
5. Elle lève ..., nous levons...

3

A/

J'	appelle	Je	jette
tu	appelles	tu	jettes
il	appelle	il	jette
nous	appelons	nous	jetons
vous	appelez	vous	jetez
ils	appellent	ils	jettent

B/
1. Vous appelez ..., j'appelle ...
2. Elle jette ... ; nous jetons ...
3. Il ne gèle pas ..., mais vous gelez.
4. Ils achètent ..., nous achetons ...
5. Tu congèles ..., nous congelons ...

4

A/

Je	commence	Je	mange
tu	commences	tu	manges
il	commence	il	mange
nous	commençons	nous	mangeons
vous	commencez	vous	mangez
ils	commencent	ils	mangent

B/
1. La voiture n'avance pas vite. 2. Vous prononcez bien le français. 3. Nous commençons le jeu 4. Tu recommences l'exercice. 5. Je nage assez mal. 6. Nous mangeons du chocolat. 7. Les touristes changent de l'argent. 8. Tu voyages avec moi. 9. Nous lançons le ballon. 10. Nous partageons la chambre d'hôtel.

5

A/

Je	paie (paye)	J'	envoie
Tu	paies (payes)	Tu	envoies
Il	paie (paye)	Il	envoie
Nous	payons	Nous	envoyons
Vous	payez	Vous	envoyez
Ils	paient (payent)	Ils	envoient

J'	essuie
Tu	essuies
Il	essuie
Nous	essuyons
Vous	essuyez
Ils	essuient

B/
1. Tu envoies
2. Nous payons
3. J'essaie (j'essaye)
4. ... tu essuies
5. Vous employez
6. Elle appuie

6

1. Je (il, elle) préfère...
2. Nous rangeons...
3. Vous essayez...
4. Il (Elle, J') appelle...
5. Nous commençons...
6. Tu pleures.
7. J' (Il, Elle) étudie...
8. Tu achètes...
9. Ils (elles) envoient...
10. Tu enlèves...

7

A/

Je	finis
Tu	finis
Il	finit
Nous	finissons
Vous	finissez
Ils	finissent

B/

1. Je grossis
2. Tu grandis
3. Elle maigrit
4. Nous vieillissons
5. Vous rougissez.
6. mûrit
7. blanchissent
8. pâlissent
9. salit
10. jaunissent

8

A/

1. Vous réunissez des amis. 2. Les avions atterrissent et nous finissons le voyage. 3. Les médecins guérissent les malades. 4. Nous obéissons quelquefois, vous désobéissez souvent. 5. Les spectateurs applaudissent le clown.

B/

1. Tu réfléchis d'abord, tu agis ensuite. 2. Elle brunit et elle rajeunit. 3. Je réussis... 4. Tu choisis... 5. Il remplit...

9

A/

Je	sors		Je	cours
Tu	sors		Tu	cours
Il	sort		Il	court
Nous	sortons		Nous	courons
Vous	sortez		Vous	courez
Ils	sortent		Ils	courent

J'	ouvre
Tu	ouvres
Il	ouvre
Nous	ouvrons
Vous	ouvrez
Ils	ouvrent

B/

1. Vous sortez 2. Tu sers 3. Ils partent 4. Je ne dors pas 5. Le champion court vite.

C/

1. Tu ouvres 2. je souffre 3. Nous offrons 4. Il cueille 5. Elles découvrent

10

A/

Je	lis		Je	conduis
Tu	lis		Tu	conduis
Il	lit		Il	conduit
Nous	lisons		Nous	conduisons
Vous	lisez		Vous	conduisez
Ils	lisent		Ils	conduisent

Je	vis
Tu	vis
Il	vit
Nous	vivons
Vous	vivez
Ils	vivent

B/

1. Vous ne lisez pas
2. Ils élisent
3. Le policier interdit
4. Je traduis
5. Ils construisent
6. Nous détruisons
7. Il conduit
8. Nous vivons
9. Je suis
10. Elle ne vit pas

11

A/

Je	mets		Je	connais
Tu	mets		Tu	connais
Il	met		Il	connaît
Nous	mettons		Nous	connaissons
Vous	mettez		Vous	connaissez
Ils	mettent.		Ils	connaissent.

B/

1. Je mets, vous mettez. 2. Le bébé naît. Le cœur... bat. 3. Il paraît, ils paraissent. 4. Tu reconnais, vous reconnaissez. 5. Je connais bien. Nous ne connaissons pas bien.

12

A/

Je	crains		Je	peins
Tu	crains		Tu	peins
Il	craint		Il	peint
Nous	craignons		Nous	peignons
Vous	craignez		Vous	peignez
Ils	craignent.		Ils	peignent.

B/

1. Tu peins, nous repeignons
2. J'éteins, vous éteignez
3. Ils rejoignent
4. Le ballon atteint
5. Nous craignons, elle craint une panne.

13

A/

Je	réponds	J'	attends
Tu	réponds	Tu	attends
Il	répond	Il	attend
Nous	répondons	Nous	attendons
Vous	répondez	Vous	attendez
Ils	répondent	Ils	attendent

Je	perds
Tu	perds
Il	perd
Nous	perdons
Vous	perdez
Ils	perdent

B/

1. j'entends, cela dépend.
2. On perd, on attend.
3. Ils défendent. Ils répondent.
4. Vous confondez.
5. Tu entends. Tu descends ...

14

1. La caissière rend , elle répond.
2. Je traduis, nous rejoignons.
3. Vous courez, mais vous perdez.
4. Tu mets, tu crains.
5. Le soleil disparaît, les nuages apparaissent.

15

1. L'enfant dort, je sors de la chambre.
2. Il attend Patricia, il ne paraît pas content.
3. J'éteins la radio et je réponds au téléphone.
4. Tu ouvres la bouteille, tu sers...
5. Vous vivez à Paris, vous connaissez la ville.
6. Ils partent en vacances, ils conduisent vite.
7. Tu ne dis pas la vérité, tu mens.
8. Elle promet et elle offre des cadeaux.
9. Nous lisons,nous découvrons...
10. Tu peins et tu vends des tableaux.

16

A/

1. Je vais, il va, nous allons, ils vont
2. Tu fais, nous faisons, vous faites, ils font
3. Je prends, il prend, nous prenons, ils prennent
4. Je viens, il vient, vous venez, ils viennent
5. Tu tiens, elle tient, nous tenons, ils tiennent
6. Il dit, nous disons, vous dites, elles disent
7. J'écris, elle écrit, vous écrivez, ils écrivent
8. Tu ris, il rit, nous rions, elles rient...

B/

1. Je veux, elle veut, nous voulons, elles veulent
2. Tu peux, nous pouvons, il peut, ils peuvent
3. Tu sais, il sait, vous savez, elles savent
4. Tu dois, il doit, vous devez, ils doivent
5. Je reçois, elle reçoit, nous recevons, ils reçoivent.
6. Je vois, il voit, nous voyons, ils voient
7. Je crois, tu crois, nous croyons, ils croient
8. Je bois, il boit, nous buvons, elles boivent
9. Tu plais, il plaît, vous plaisez, ils plaisent
10. Il faut, il pleut

C/

1. Ils veulent partir, nous voulons rester.
2. Elles savent cela, nous ne savons pas cela.
3. Vous pouvez répondre, elles ne peuvent pas.
4. Nous devons rentrer, vous devez sortir.
5. Elles reçoivent un paquet, vous recevez une lettre.
6. Est-ce que vous croyez cette histoire ?
7. Elles plaisent beaucoup à Didier.
8. Nous buvons du vin, elles boivent de l'eau.
9. Vous dites oui, ils disent non.
10. Elles prennent l'autobus, vous prenez le métro.
11. Ils reviennent... ; est-ce que vous revenez aussi ?
12. Nous faisons du yoga, vous faites du judo.
13. Ils vont à la piscine, nous allons au stade.
14. Est-ce que ces tableaux appartiennent aux musées ?
15. Vous n'écrivez pas, ils écrivent beaucoup.

17

1. elle est ; elle souffre. 2. j'ai sommeil : j'éteins... et je dors. 3. il fait beau à Paris et il pleut à Rouen. 4. Il vient. 5. Nous allons. 6. Il écrit. 7. Vous prenez. 8. ils font, ils lisent. 9. font. 10. La Seine coule...

18

A/

Tu habites ... et tu aimes ... . Le dimanche matin, tu vas ..., tu prends ... et tu pars... . Tu connais ..., tu montes, tu descends, tu tournes..., tu ne perds jamais ... . Tu rencontres parfois ... . Alors, tu suis ... et tu fais ... . Tu mets deux heures ... et tu finis ... . Tu reviens à la maison, tu es fatigué mais content.

B/

Ils habitent ... et ils aiment ... . Le dimanche matin, ils vont ..., ils prennent ... et ils partent ... . Ils connaissent ..., ils montent, ils descendent, ils tournent ..., ils ne perdent jamais ... . Ils rencontrent parfois ... . Alors, ils suivent ... et ils font ... . Ils mettent deux heures ... et ils finissent ... . Ils reviennent à la maison, ils sont fatigués mais contents.

19

A/ 1. J'ai trente ans. Je suis un beau garçon. Je vais souvent à la mer et à la montagne. Je brunis facilement. Je plonge, je nage, je fais du bateau et du ski. Je fume peu, je bois peu, je mange avec plaisir. J'aime le cinéma et les voyages. Je désire rencontrer une jeune fille de vingt ou vingt-cinq ans jolie, sportive. Je veux une longue vie à deux. J'espère le mariage et des enfants. J'attends une réponse rapide.

2. J'ai … . Je suis … . Je cherche … et (je) souhaite … . Je déteste … mais je possède … . Je peux vivre …, je parle … . Je sais bien faire … et (je) reçois … . Je ris … et je plais souvent.

3. Je suis … . Je parais … mais j'ai … . Je comprends et (je) traduis … . Je voyage … et j'ai … . Je veux … . Je connais bien … . Je sais … . Je peux prendre … . Je réfléchis et (je) décide vite. J'envoie… . Je réponds…

CHAPITRE 6

Verbes et expressions suivis de l'infinitif

1

1. atterrir. **2.** nager. **3.** écrire. **4.** comprendre. **5.** pleuvoir. **6.** dormir. **7.** travailler. **8.** revenir. **9.** boire. **10.** répondre.

2

1. Vous allez lire un roman. **2.** Il va déménager. **3.** Tu vas chercher du travail. **4.** Elles vont finir leurs études. **5.** Nous allons prendre l'autobus **6.** Je vais revenir.

3

1. Ils viennent d'avoir un enfant. **2.** Je viens de recevoir un fax. **3.** Nous venons d'acheter un appartement. **4.** Le cerisier vient de fleurir. **5.** Tu viens d'ouvrir le magasin. **6.** Elle vient de sortir.

4

1. Le train va entrer. Le train vient d'entrer
2. Tu vas avoir. Tu viens d'avoir
3. L'avion va décoller. L'avion vient de décoller.
4. Nous allons rentrer. Nous venons de rentrer.
5. Le match va commencer. Le match vient de commencer.

5

1. Elle veut maigrir. **2.** Vous pouvez entrer. **3.** Tu dois aller. **4.** Nous savons danser. **5.** Nous allons faire un jeu. **6.** Ils préfèrent vivre. **7.** Il aime jouer. **8.** Tu espères réussir. **9.** Elles viennent dormir. **10.** Je sors poster une lettre.

6

1. Le bébé est en train de pleurer. **2.** Il commence à pleuvoir. **3.** Tu finis de peindre ta chambre. **4.** Je suis en train de mettre le couvert. **5.** Ils continuent à faire du bruit. **6.** Vous êtes en train d'écrire.

7

1. Nous avons envie de boire **2.** Vous avez besoin de faire de la monnaie. **3.** Ils ont peur de rater leur avion. **4.** Elle a envie de prendre une douche. **5.** On a peur de vieillir. **6.** J'ai besoin de retirer de l'argent.

8

1. Ils font construire une maison. **2.** Tu fais venir le médecin. **3.** Le soleil fait mûrir les fruits. **4.** L'ordinateur fait gagner du temps. **5.** La mère laisse dormir le bébé. **6.** Tu laisses passer le vélo. **7.** Nous voyons partir la voiture. **8.** Je vois arriver l'autobus. **9.** Elle entend chanter dans la rue. **10.** Vous entendez couler l'eau.

9

A/

A. Il faut manger pour vivre.
B. Il vaut mieux être en bonne santé.
C. Il est impossible de voir les yeux fermés.
D. Il est interdit de fumer dans les lieux publics.
E. Il est difficile de bien parler le français.

B/

1. Il est possible de parler plusieurs langues.
2. Il est nécessaire de boire quand il fait chaud.
3. Il est obligatoire d'avoir un visa pour aller en Chine.
4. Il vaut mieux ne pas être chômeur.
5. Il est facile de faire une erreur.

10

1. Tu aimes lire. **2.** Il veut rentrer chez lui. **3.** Il ne faut pas toucher à cela. **4.** Vous pouvez entrer. **5.** Je ne sais pas nager. **6.** Nous allons sortir. **7.** Il fait réparer sa montre. **8.** Ils détestent attendre. **9.** Tu laisses couler l'eau. **10.** J'entends sonner le réveil. **11.** Elle est en train de dormir. **12.** Je n'ai pas besoin de prendre ces médicaments. **13.** Il a peur de vieillir. **14.** Je finis de déjeuner. **15.** Nous continuons à parler. **16.** Vous commencez à comprendre. **17.** Ils viennent d'avoir un bébé. **18.** J'ai envie d'aller à la plage. **19.** Il est agréable de faire la fête. **20.** Il est amusant de voir des dessins animés.

11

Astrid aime ... . Au téléphone, ... elle peut raconter... . Parfois, elle a envie d'avoir... . Pour cela, elle a besoin d'être assise...

elle déteste rester ... . Elle va d'abord fermer ..., car elle préfère être seule, elle ne veut pas ... . Puis, elle commence à bavarder . ... , il faut être patient... !

CHAPITRE 7

Les adjectifs et les pronoms démonstratifs

1

A/

Il regarde ce tableau, ces affiches, cet objet, cette sculpture.
Elle écoute cette chanson, cet opéra, cette radio, ces disques.

B/

1. ces fleurs. 2. ces mots. 3. Cette année. En ce moment 4. Cet (ou cette) après-midi ; ce soir 5. Ce matin ; cet hiver ...

C/

1. De ce côté-ci 2. ce mois-ci 3. Ces jours-ci 4. à cette heure-ci. 5. cette fois-ci...

D/

1. Cet homme-là
2. Ces gens-là
3. À cette vitesse-là
4. À ce prix-là
5. pendant ce temps-là ...

2

1. Cette affiche est belle.
2. Je veux lire cet article.
3. Ce magasin est ouvert ...
4. Ce chirurgien opère dans cet hôpital.
5. Cette machine ... ne marche pas.

3

A/

1. celle de Séverine
2. celle de Marc.
3. celui de Tony.
4. celles d'Annie.
5. ceux du vol ...

B/

1. celle du docteur.
2. celui des pompiers.
3. celle(s) du garage.
4. ceux des supermarchés.
5. celui des grands magasins.

4

1. celle-ci, celle-là
2. ceux-ci, ceux-là
3. celui-ci, celui-là
4. Celui-ci, celui-là
5. celles-ci, celles-là ...

5

A/

1. Ces spectateurs rient beaucoup, ceux-là ne rient pas.
2. Ces chevaux gagnent les courses, ceux-là arrivent les derniers.
3. Ces portes sont celles des chambres.
4. Nous n'aimons pas ces films-là, nous préférons ceux de Woody Allen.
5. Vous choisissez des cartes postales : celles-ci ou celles-là.

B/

1. Cette rue est étroite, celle-là est large.
2. Cette photographie est celle de Robert Doisneau.
3. Cette montre retarde, celle-ci avance.
4. Cet ordinateur est celui de la secrétaire.
5. Ce costume ? C'est celui du comédien.

C/

1. à cette adresse.
2. Cet hiver
3. cette histoire.
4. Cette année
5. Cet enfant ... cet homme.
6. Cette idée
7. Cet arbre ... cet immeuble.
8. Cet architecte ... cette maison.
9. À cet étage
10. cet acteur ou cette actrice ?

6

– ... c'est toi, ça va ? – Moi, ça va bien. .... – Ah, ça alors ... – Rien que ça !
– ... c'est toujours comme ça .... c'est la vie ! – Et à part ça ? .... – Comme-ci comme-ça, ça dépend .... ça m'est égal. ... – Moi, ça y est, c'est fini .... – Ça ne m'intéresse plus, ça suffit. – Ça, c'est sûr, mais c'est difficile à trouver.

CHAPITRE 8

Les adjectifs et les pronoms possessifs

1

1. mon manteau, ma jupe, mes gants.
2. ta mère, ton père, tes frères.
3. sa bicyclette, son train, ses patins à glace.
4. notre travail, notre thèse, nos exercices.
5. votre studio, votre maison, vos chambres.
6. leurs cousins, leur oncle, leur tante.

1. mon écharpe. 2. ton agence 3. son assiette. 4. ton omelette. 5. son ampoule ...

2

A/
1. ses chaussures. 2. son numéro 3. son fils. 4. Ses affaires 5. ses bagages.

B/
1. leurs vacances. 2. leur travail. 3. leur temps 4. leur journée 5. leurs informations.

C/
1. leur adresse. 2. leurs habitudes. 3. leur propriétaire. 4. ses parents 5. son portrait. 6. leurs amis. 7. à son avis 8. leur voiture. 9. son métier. 10. ses ciseaux.

3

A/
1. Elles nettoient leur salon, leur cuisine et leurs chambres. 2. Vous promenez votre bébé, vos enfants et votre chienne. 3. Nous enlevons notre veste, notre imperméable et nos bottes.

B/
1. Tu écoutes tes disques, ta radio, ton air préféré. 2. Je pars camper : j'emporte ma tente, mon sac à dos, mes grosses chaussures. 3. Elle ouvre son album de photos, elle raconte ses souvenirs de vacances.

4

A/
1. c'est le mien ; c'est la mienne ; ce sont les miens.
2. c'est le tien ; c'est la tienne ; ce sont les tiens.
3. c'est le sien ; c'est la sienne ; ce sont les siens.
4. c'est le nôtre ; c'est le vôtre ; c'est le leur.
5. ce sont les nôtres ; ce sont les vôtres ; ce sont les leurs.

6. c'est la sienne ; ce sont les siennes ; ce sont les leurs.

B/
1. C'est le sien. C'est le sien. C'est le mien.
2. C'est la vôtre. C'est la leur. C'est la tienne.
3. Ce sont les nôtres. Ce sont les leurs. Ce sont les leurs.
4. Ce sont les miennes. Ce sont les siennes. Ce sont les tiennes.

5

1. j'ai la mienne. 2. la vôtre. 3. les miens. 4. c'est de la tienne. 5. les leurs. 6. le leur. 7. les vôtres. 8. la leur 9. le nôtre. 10. De la sienne ...

6

... tes parents ? ... mon père ... et ma mère ... . Les miens ... mes grands-parents ... . Et les tiens ? ... les miens ... . mon quartier. ... Mon appartement ... mais ma maison de campagne ... nos week-ends ... mes amis ... nos voisins ... leurs enfants ... leurs copains. Alors avec les leurs et les miens ...

7

A/
1. ses valises 2. ces jours-ci. 3. ses copains. 4. ses clés. 5. Ces clés. 6. ses études. 7. Ces phrases. 8. ses souvenirs. 9. ses problèmes. 10. ces gens-là ...

B/
1. Ces enfants ? Ce sont mes fils.
2. Ces lettres sont pour mes voisins.
3. Ces hommes ne sont pas tes amis.
4. Ces portraits ressemblent à leur(s) modèle(s).
5. Ces maisons plaisent à leurs locataires.
6. Ces robes ne valent pas leur prix.
7. Ils admirent leur(s) montre(s).
8. Leurs amis possèdent ces chevaux de course.
9. Ce sont des cadeaux de ses soeurs.
10. Ils rapportent ces jeux pour leurs neveux.

C/
1. ce jeu. .... son jeu préféré. 2. ce match. ... sa carrière. 3. Ces bandes dessinées ... à leurs parents. 4. cette émission. C'est notre émission 5. Dans cette réunion, ... votre opinion, ... vos critiques.

CHAPITRE 9

Les adverbes

1

A/

1. certainement
2. normalement
3. rarement
4. rapidement.
5. facilement
6. naturellement
7. seulement
8. heureusement.
9. complètement
10. entièrement
11. légèrement
12. premièrement
13. lentement
14. sûrement
15. doucement
16. réellement.

B/

1. patiemment
2. évidemment
3. violemment
4. prudemment
5. couramment
6. méchamment

2

1. Tu travailles sérieusement.
2. Il écoute patiemment.
3. Il agit discrètement.
4. Tu parles clairement.
5. Il décrit parfaitement ...

3

1. Tu joues bien au football.
2. Elle comprend mal cette phrase.
3. La voiture roule vite sur la route.
4. Ils ne vont pas souvent à la piscine.
5. Il revient bientôt chez lui.
6. Il aime beaucoup les fleurs.
7. Elle est tout à fait d'accord.
8. J'ai vraiment besoin de vacances.
9. Ils regardent trop la télévision.
10. Elle parle très bien et elle est très jolie.

4

1. tu travailles dur. 2. je parle très bas. 3. elle crie fort. 4. il fait chaud. 5. ils sentent bon.

5

1. Ils n'ont qu'un enfant. (Ils ont seulement un enfant.)
2. Elle mange seulement une salade. (Elle ne mange qu'une salade.)
3. Vous prenez seulement huit jours de congé. (Vous ne prenez que huit jours de congé.)
4. Il n'y a que vingt francs... (Il y a seulement...)
5. Tu ne penses qu'à lui. (Tu penses seulement à lui.)

6

A/

1. Il travaille mal
2. Il marche derrière.
3. tu parles peu.
4. le temps passe lentement.
5. Ce n'est pas très loin.
6. Nous allons rarement chez eux.
7. Il arrive tard à son travail.
8. vous travaillez plus.
9. Il téléphone après.
10. Y a-t-il des voisins au-dessous ?

B/

1. Antonio parle couramment ..., mais Peter comprend difficilement.
2. tu conduis prudemment, tu écoutes patiemment, et tu réponds poliment.
3. tu fumes énormément.
4. je dors légèrement (ou profondément), mais mon mari dort profondément (ou légèrement).
5. Nous sortons souvent (ou rarement) mais nos amis sortent rarement (ou souvent).

CHAPITRE 10

L'interrogation et l'exclamation

1

A/

1. Est-ce que c'est ... ? Est-ce ... ? C'est une bonne nouvelle ?
2. Est-ce que c'est ... ? Est-ce ... ? C'est l'avion pour Berlin ?
3. Est-ce que c'est ... ? Est-ce ... ? C'est la cousine d'Angela ?
4. Est-ce que c'est ... ? Est-ce ... ? C'est la seule solution ?
5. Lille, est-ce que c'est ... ? Lille, est-ce ... ? Lille, c'est dans le Nord de la France ?
6. Est-ce que c'est le dernier jour ? Est-ce ... ? C'est le dernier jour ?

B/

1. Est-ce qu'il est ... ? Est-il ... ? Il est informaticien ?
2. Est-ce que vous êtes... ? Êtes-vous... ? Vous êtes célibataire ?
3. Est-ce qu'elle est ... ? Est-elle ... ? Elle est productrice ?
4. Est-ce qu'elles sont ... ? Sont-elles ... ? Elles sont en retard ?
5. Est-ce que vous êtes ... ? Êtes-vous ... ? Vous êtes en avance ?
6. Est-ce qu'ils sont ... ? Sont-ils ... ? Ils sont contents ?

C/

1. Est-ce que le vol est ... ? Le vol est-il ... ? Le vol est annulé ?
2. Est-ce que l'hôtesse est ... ? L'hôtesse est-elle... ? L'hôtesse est souriante ?
3. Est-ce que le bar est ... ? Le bar est-il ... ? Le bar est ouvert ?
4. Est-ce que les passagers sont ... ? Les passagers sont-ils ... ? Les passagers sont en transit ?
5. Est-ce que les avions sont ... ? Les avions sont-ils... ? Les avions sont à l'heure ?
6. Est-ce que le pilote est ... ? Le pilote est-il ... ? Le pilote est là ?

D/

1. Est-ce que tu sors ce soir ? Sors-tu ce soir ? – Oui, je sors ce soir.
2. Est-ce que vous prenez ... ? Prenez-vous ... ? – Oui, nous prenons (je prends) l'ascenseur.
3. Est-ce que tes sœurs viennent ... ? Tes sœurs viennent-elles ... ? – Oui, mes sœurs viennent à Paris.
4. Est-ce que tu aimes ... ? Aimes-tu ... ? – Oui, j'aime beaucoup les voyages.
5. Est-ce qu'Alexandre peut ... ? Alexandre peut-il ... ? – Oui, Alexandre peut venir avec toi.
6. Est-ce que vous buvez ... ? Buvez-vous ... ? Oui, je bois (nous buvons) de la vodka.

2

1. Est-ce qu'il y a ... ? Y a-t-il ... ? Il y a un pilote dans l'avion ?
2. Est-ce qu'elle a ... ? A-t-elle ... ? Elle a une grosse valise ?
3. Est-ce qu'il y a ... ? Y a-t-il ... ? Il y a un départ pour Lisbonne à onze heures ?
4. Est-ce que tu as ... ? As-tu ... ? Tu as une carte d'embarquement ?
5. Est-ce qu'il y a ... ? Y a-t-il ... ? Il y a encore des places non-fumeurs ?

3

1. Est-ce que Marion est ... ? Marion est-elle ... ? Marion est dans la salle d'attente ?
2. Est-ce que l'équipage est... ? L'équipage est-il ... ? L'équipage est au complet ?
3. Est-ce qu'ils veulent ... ? Veulent-ils ... ? Ils veulent regarder le film ?
4. Est-ce que vous avez peur... ? Avez-vous peur... ? Vous avez peur en avion ?
5. Est-ce que c'est ... ? Est-ce ... ? C'est agréable de voler en Concorde ?

4

1. Qu'est-ce que c'est ?
2. Qui est-ce ?
3. Qui est-ce ?
4. Qu'est-ce que c'est ?
5. Qu'est-ce que c'est ?
6. Qui est-ce ?
7. Qu'est-ce que c'est ?
8. Qui est-ce ?
9. Qu'est-ce que c'est ?
10. Qu'est-ce que c'est ?

5

A/

1. Qu'est-ce que tu fais ? Que fais-tu ?
2. Qu'est-ce qu'elle raconte ? Que raconte-t-elle ?
3. Qu'est-ce que tu écoutes ? Qu'écoutes-tu ?
4. Qu'est-ce qu'il veut ? Que veut-il ?
5. Qu'est-ce que vous buvez ? Que buvez-vous ?
6. Qu'est-ce que je dis (nous disons) ? Que dis-je (que disons-nous) ?

B/

1. Qu'est-ce qui sent très bon ? – C'est le pain frais.
2. Qu'est-ce qui attire les mouches ? – C'est le miel.
3. Qu'est-ce qui brille dans la nuit ? – Ce sont les étoiles.
4. Qu'est-ce qui fait grossir ? – Ce sont les gâteaux.
5. Qu'est-ce qui est agréable dans cet hôtel ? – C'est le confort.
6. Qu'est-ce qui fait peur aux enfants ? C'est la nuit.

C/

1. que 2. qui 3. qu' 4. que 5. qui 6. qui

6

A/

1. Qui (Qui est-ce qui) coupe les cheveux ?
   – C'est le coiffeur.
2. Qui (Qui est-ce qui) fait le pain ?
   – C'est le boulanger.
3. Qui (Qui est-ce qui) répare les voitures ?
   – C'est le mécanicien (le garagiste).
4. Qui (Qui est-ce qui) conduit un autobus ?
   – C'est le chauffeur (le conducteur).
5. Qui (Qui est-ce qui) distribue le courrier ?
   – C'est le facteur.
6. Qui (Qui est-ce qui) vend des livres ?
   – C'est le libraire.
7. Qui (Qui est-ce qui) peint des tableaux ?
   – C'est le peintre.
8. Qui (Qui est-ce qui) paie (paye) le loyer ?
   – C'est le locataire.
9. Qui (Qui est-ce qui) écrit dans un journal ?
   – C'est le journaliste.
10. Qui (Qui est-ce qui) dirige un orchestre ?
   – C'est le chef d'orchestre.

B/

1. Qui connais-tu (Qui est-ce que tu connais) à Paris ?
   – Je connais surtout des étudiants.
2. Qui appelles-tu (Qui est-ce que tu appelles) au téléphone ? – J'appelle Antonin.
3. Qui embrasses-tu (Qui est-ce que tu embrasses) ?
   – J'embrasse Céline.
4. Qui attends-tu (Qui est-ce que tu attends) ... ?
   – J'attends mes amis.
5. Qui emmènes-tu (Qui est-ce que tu emmènes) ... ?
   – J'emmène mes cousines.
6. Qui veux-tu rencontrer (Qui est-ce que tu veux rencontrer) ? Je veux rencontrer Gérard Depardieu.

C/

1. qui 2. que 3. que 4. qui 5. qu' 6. qui

7

A/

1. Qui ... ? C'est l'enfant.
2. Qu'... ? C'est la neige.
3. Qui ... ? Ce sont Sonia et Bruno.
4. Qu'... ? Ce sont les verres.
5. Qu'... ? C'est le temps.

B/

1. Qu'est-ce qui fait du bruit ?
2. Qui est-ce qui téléphone ?
3. Qu'est-ce qui sent mauvais ?
4. Qui est-ce qui arrive ce soir ?
5. Qui est-ce qui joue de la guitare ?

C/

1. Qui est-ce que tu cherches ?
2. Qu'est-ce que tu écoutes ?
3. Qui est-ce que tu connais ici ?
4. Qu'est-ce que tu écris à tes parents ?
5. Qui est-ce que tu conduis à l'école ?

8

A/

1. À qui est-ce que tu téléphones ? À qui téléphones-tu ? 2. À qui est-ce qu'ils pensent ? À qui pensent-ils ? 3. De qui est-ce que vous parlez ? De qui parlez-vous ? 4. Chez qui est-ce qu'il habite ? Chez qui habite-t-il ? 5. Avec qui est-ce que Sophie se marie ? Avec qui Sophie se marie-t-elle ?

B/

1. À quoi est-ce qu'il joue ? À quoi joue-t-il ?
2. De quoi est-ce que vous parlez ? De quoi parlez-vous ?
3. En quoi est-ce que c'est ? En quoi est-ce ?
4. Devant quoi est-ce qu'elle est assise ? Devant quoi est-elle assise ?
5. Sur quoi est-ce que le bébé tombe ? Sur quoi le bébé tombe-t-il ?

9

A/

1. Où est-ce que tu habites ? Où habites-tu ?
2. Où est-ce que vous allez dîner ? Où allez-vous dîner ?
3. Où est-ce qu'il va ? Où va-t-il ?
4. Où est-ce que tu mets la clé de la voiture ? Où mets-tu la clé de la voiture ?
5. Où est-ce que tu ranges tes chaussures ? Où ranges-tu tes chaussures ?
6. D'où est-ce qu'il sort ? D'où sort-il ?
7. D'où est-ce qu'elle revient ? D'où revient-elle ?

B/

1. Pékin, où est-ce que c'est ? Pékin, où est-ce ? Où est Pékin ?
2. Beyrouth, où est-ce que c'est ? Beyrouth, où est-ce ? Où est Beyrouth ?
3. Chicago, où est-ce que c'est ? Chicago, où est-ce ? Où est Chicago ?

10

A/

1. Comment est-ce que tu écris ? (Comment est-ce que vous écrivez) ? Comment écris-tu ? (Comment écrivez-vous) ?
2. Comment est-ce que tu t'appelles ? (Comment est-ce que vous vous appelez ?) Comment t'appelles-tu ? (Comment vous appelez-vous ?)
3. Comment est-ce qu'elle est ? Comment est-elle ?
4. Comment est-ce qu'il danse ? Comment danse-t-il ?
5. Comment est-ce que vous rentrez ? Comment rentrez-vous ?

B/

1. Pourquoi est-ce que tu ne dors pas ? Pourquoi ne dors-tu pas ?
2. Pourquoi est-ce que tu cours ? Pourquoi cours-tu ?
3. Pourquoi est-ce qu'elle ne vient pas avec nous ? Pourquoi ne vient-elle pas ... ?
4. Pourquoi est-ce que tu parles de ton pays ? Pourquoi parles-tu de ton pays ?
5. Pourquoi est-ce que tu enlèves ta veste ? Pourquoi enlèves-tu ta veste ?
6. Pourquoi est-ce que tu poses cette question ? Pourquoi poses-tu cette question ?

C/

1. Combien est-ce que vous êtes à table ? Combien êtes-vous à table ?
2. Combien est-ce que tu dois à Catherine ? Combien dois-tu à Catherine ?
3. Combien est-ce qu'ils ont d'enfants ? Combien d'enfants ont-ils ?
4. Combien est-ce qu'il y a d'habitants ... ? Combien d'habitants y a-t-il ... ?
5. Combien est-ce que vous louez votre studio ? Combien louez-vous votre studio ?

11

A/

1. Quand est-ce que tu arrêtes de fumer ? Quand arrêtes-tu de fumer ?
2. Quand est-ce que tu vas chez le coiffeur ? Quand vas-tu chez le coiffeur ?

3. Quand est-ce qu'il doit revenir ? Quand doit-il revenir ?
4. Quand est-ce qu'elle finit ses études ? Quand finit-elle ses études ?
5. Quand est-ce qu'elles passent leurs examens ? Quand passent-elles leurs examens ?

B/

1. Depuis quand est-ce qu'il est majeur ? Depuis quand est-il majeur ?
2. Depuis quand est-ce qu'elle fait un régime ? Depuis quand fait-elle un régime ?
3. Depuis quand est-ce qu'ils habitent ici ? Depuis quand habitent-ils ici ?
4. Jusqu'à quand est-ce qu'il reste avec nous ? Jusqu'à quand reste-t-il avec nous ?
5. Jusqu'à quand est-ce que nous pouvons payer ... ? Jusqu'à quand pouvons-nous payer ... ?

C/

1. Depuis quand est-ce qu'elle travaille ... ? Depuis quand travaille-t-elle ... ?
2. Depuis combien de temps est-ce qu'elle travaille (travaille-t-elle) ... ?
3. Depuis combien de temps est-ce qu'ils sont (sont-ils) ... ?
4. Depuis quand est-ce qu'ils sont (sont-ils) ... ?
5. Depuis combien de temps est-ce que les deux champions jouent (jouent-ils) ?

12

1. Où vas-tu ? – À la poste.
2. Quand partez-vous ? – Demain.
3. Comment t'appelles-tu ? – Sarah.
4. Depuis quand est-il à l'hôpital ? – Depuis lundi.
5. Combien de places y a-t-il ici ? – Trente.

13

A/

1. Quelle heure est-il ? **2.** Quel âge as-tu ? **3.** Quel est ton parfum ? **4.** Quelles couleurs est-ce que tu préfères / préfères-tu ? **5.** Quelle est ta pointure ?

B/

1. Quel **2.** quelle **3.** Quels **4.** quelles **5.** quelle

C/

1. À quelle heure est-ce que tu finis (finis-tu) ?
2. De quel pays est-ce que vous parlez (parlez-vous) ?
3. A quel étage est-ce qu'elle habite (habite-t-elle) ?
4. Avec quelles amies est-ce qu'elle part en vacances (part-elle en vacances) ?
5. Chez quels copains est-ce qu'il va (va-t-il) ?

14

1. Laquelle **2.** lequel **3.** Lesquels **4.** lesquelles
5. Lequel

15

1. Qu'est-ce que c'est (que ça) ? Qu'est-ce ?
2. Où est-ce que tu vas ? Où vas-tu ?
3. Qu'est-ce que tu fais ? Que fais-tu ?
4. Quand est-ce qu'elle part ? Quand part-elle ?
5. Comment est-ce que tu t'appelles ? Comment t'appelles-tu ?
6. Pourquoi est-ce que tu dis ça ? Pourquoi dis-tu ça ?
7. Jusqu'à quand est-ce qu'il travaille ? Jusqu'à quand travaille-t-il ?
8. De quoi est-ce que vous parlez ? De quoi parlez-vous ?
9. À qui est-ce que tu téléphones ? À qui téléphones-tu ?
10. Qui est-ce que c'est ? Qui est-ce ?

16

Quel ... Quels ... Quel ... Combien ... Combien ... Combien ...

17

A/
1. Qu'elle est belle, cette fille !
Comme elle est belle, ... !
2. Qu'ils sont sympathiques, tes amis !
Comme ils sont sympathiques, ... !
3. Qu'elle est bruyante, cette machine !
Comme elle est bruyante, ... !
4. Que tu es désagréable, aujourd'hui !
Comme tu es désagréable, ... !
5. Que c'est difficile de parler français !
Comme c'est difficile ... !

B/
1. Quel dommage !
2. Quelle chance !
3. Quelle bonne idée !
4. Quelle horreur !
5. Quelles vacances !

C/
1. Que c'est bon ! Comme c'est bon !
2. Qu'il est bête ! Comme il est bête !
3. Qu'il joue bien de la trompette ! Comme il joue bien ... !
4. Qu'elle chante bien ! Comme elle chante bien !
5. Que tu conduis vite ! Comme tu conduis vite !

CHAPITRE 11

La négation

1

1. Non, je n'ai pas faim.
2. Non, je n'ai pas (nous n'avons pas) sommeil.
3. Non, il n'est pas malade.
4. Non, je n'habite pas (nous n'habitons pas) à la campagne.
5. Non, il ne pleut pas.

2

A/

1. Vous ne faites pas le marché. 2. Tu ne dis pas la vérité. 3. Elle ne comprend pas le problème. 4. Ils n'ont pas l'habitude de discuter. 5. Je n'ai pas le temps d'écrire ... 6. Nous ne parlons pas le japonais.

B/

1. Il ne range pas ses affaires. 2. Je ne prends pas mon petit déjeuner. 3. Ils ne donnent pas leur avis. 4. Tu ne connais pas bien ta ville. 5. Vous n'aimez pas votre travail. 6. Tu ne prépares pas ton avenir.

C/

1. Je n'achète pas cet appareil photo. 2. Tu ne crois pas cet homme. 3. Nous n'acceptons pas cette idée. 4. Vous ne payez pas ces factures. 5. Ils ne vont pas visiter ce château. 6. Elle n'aime pas ce jeu.

3

A/

1. Tu ne fais pas d'erreur.
2. Vous n'avez pas de projets.
3. Je ne demande pas de conseil.
4. Il n'y a pas de banque près d'ici.
5. Il ne pose pas de question.

B/

1. Tu ne perds pas de temps.
2. Nous n'avons pas de chance.
3. Vous ne faites pas d'économies.
4. Il n'a pas de volonté.
5. Il n'y a pas de soleil.

C/

1. Ce n'est pas une idée nouvelle.
2. Ce n'est pas de l'huile d'olive.
3. Ce ne sont pas des études difficiles.
4. Ce n'est pas du cognac.
5. Ce n'est pas un train direct.
6. Ce n'est pas de la confiture de fraise.

4

1. Non, je ne veux pas d'enfant.
2. Non, je n'ai pas mes papiers.
3. Non, il n'y a pas de bruit.
4. Non, nous ne prenons pas de vacances.(Non, je ne prends pas de vacances.)
5. Non, elle n'a pas de patience.
6. Non, ce n'est pas une bonne actrice.
7. Non, je n'écoute pas la radio.
8. Non, je ne connais pas ce musée.
9. Non, ce ne sont pas des soldes.
10. Non, je ne perds pas mon temps.

5

A/

1. Il n'a pas encore dix-huit ans.
2. Cet enfant ne parle pas encore.
3. Elle n'est pas encore couchée.
4. Il n'y a pas encore de clients devant la porte.
5. Cet arbre n'est pas encore en fleurs.

B/

1. Je n'ai plus faim.
2. Chantal n'est plus malade.
3. Vous ne faites plus de fautes.
4. Il n'y a plus de lumières dans la rue.
5. Tu ne prends plus de médicaments.

C/

1. Ici, la circulation n'est pas toujours (n'est jamais) facile.
2. Je ne rentre pas toujours (Je ne rentre jamais) à pied.
3. Tu ne dis pas toujours (Tu ne dis jamais) la vérité.
4. Vous n'êtes pas toujours (Vous n'êtes jamais) en retard.
5. Nous n'avons pas toujours (Nous n'avons jamais) envie de travailler.

D/

1. Ils ne vont pas souvent (Ils ne vont jamais) au théâtre.
2. Tu n'es pas souvent (Tu n'es jamais) d'accord avec moi.
3. Vous ne posez pas souvent (Vous ne posez jamais) de questions.

E/

1. Elle ne va jamais seule au restaurant.
2. Je n'oublie jamais mes rendez-vous.
3. Ils ne louent jamais de voiture.

6

A/

1. Non, pas du tout. Non, plus du tout.
2. Non, pas du tout. Non, plus du tout.
3. Non, pas du tout. Non, plus du tout.

B/

1. Je n'ai pas de monnaie. ... Moi non plus.
2. Elle ne comprend pas bien le français. ... Lui non plus.
3. Vous ne connaissez pas ce pays. ... Eux non plus.

7

A/

1. Je n'aime ni le jazz ni la musique classique.
2. Je n'achète ni ce tableau ni cette sculpture. (Nous n'achetons ni ce tableau ni cette sculpture.)
3. Je ne mets ni ma cravate ni mon noeud papillon.

B/

1. Je n'ai ni frère ni soeur. 2. Je ne bois ni vin ni bière. 3. Je n'écoute ni jazz ni musique classique.

C/

1. Ce n'est ni mon frère ni ma soeur.
2. Ce n'est ni la gare du Nord ni la gare de l'Est.
3. Ce n'est ni du cognac ni de la vodka.

8

1. Non, pas encore. 2. Non, plus du tout. 3. Non, pas du tout. 4. Non, plus du tout. 5. Non, pas toujours (jamais). 6. Non, jamais. 7. Non, pas toujours (jamais). 8. Non, jamais. 9. Non, pas du tout. 10. Non, plus du tout.

9

A/

1. Tu détestes ne pas comprendre.
2. Elle espère ne pas perdre son travail.
3. Il vaut mieux ne pas trop réfléchir.
4. J'aime mieux ne pas arriver en retard.
5. Ils souhaitent ne pas rater leur train.

B/

1. J'essaie de ne pas mentir.
2. Tu es triste de ne pas voir tes parents.
3. Nous regrettons de ne pas connaître ce pays.
4. Elle est contente de ne plus grossir.
5. Vous êtes inquiets de ne pas avoir de nouvelles de Luc.

10

1. Il part sans payer.
2. Je réponds sans hésiter.
3. Ils obéissent sans discuter.
4. Elles arrivent sans prévenir.
5. Tu joues sans tricher.

11

1. Si, j'ai peur.
2. Oui, je suis amoureux.
3. Si, elle chante faux.
4. Si, je suis jaloux.
5. Oui, ils font du cheval.
6. Si, je pars.

12

Il n'est pas beau, il n'a pas l'air intelligent. Il n'a pas d'idées. Il n'a ni charme ni talent. Il n'est pas très élégant. Il n'est plus très jeune. Il n'est jamais content. Il n'a pas encore de situation. Il ne voyage pas souvent. Ce n'est pas un garçon intéressant !

CHAPITRE 12

Les indéfinis, pronoms et adjectifs

1

1. On frappe **2.** on parle **3.** On ne peut pas **4.** On va **5.** on n'a pas de pétrole, mais on a des idées.

2

A/
1. Non, je ne déteste personne.
2. Non, personne ne pleure.
3. Non, ils n'attendent personne.
4. Non, elle ne craint personne.
5. Non, personne ne veut sortir.

B/
1. Il n'a peur de personne.
2. Il ne pense à personne.
3. Elle ne ressemble à personne.
4. Elle ne connaît personne.
5. Tu ne dépends de personne.

3

A/
1. Non, je n'entends rien.
2. Non, rien n'est vrai.
3. Non, il ne dit rien.
4. Non, je ne cherche rien. (nous ne cherchons rien.)
5. Non, rien ne va changer dans ma vie.

B/
1. Elle ne dit pas grand chose. **2.** Je n'entends pas grand chose. **3.** Nous ne faisons pas grand chose.

4

1. Non, il ne dit rien d'important.
2. Non, je ne connais personne de sérieux.
3. Non, je ne fais rien de spécial demain.
4. Non, je n'apprends rien de nouveau.
5. Non, il n'y a personne de sportif dans cette famille.

5

1. quelque chose de joli. **2.** quelque chose d'évident. **3.** quelqu'un d'actif. **4.** quelqu'un de très intelligent. **5.** quelque chose d'interdit. **6.** rien de sûr. **7.** quelque chose de lourd. **8.** personne de connu. **9.** personne de génial. **10.** rien d'intéressant.

6

A/
1. On va chez le dentiste plusieurs fois par an.
2. Elle lit plusieurs journaux par jour.
3. Nous posons plusieurs questions.
4. Le pianiste joue plusieurs valses de Chopin.
5. Vous traduisez plusieurs romans.

B/
1. Le gardien de l'immeuble revient dans quelques minutes.
2. Tu as quelques amis au Mexique.
3. Nous débouchons quelques bouteilles de champagne.
4. Il achète quelques affiches.
5. Vous faites quelques critiques.

C/
1. quelques-unes
2. quelques-uns
3. quelques-uns
4. Quelques-unes
5. quelques-unes

D/
1. La plupart des jeunes filles font ...
2. La plupart des femmes vivent ...
3. La plupart des trains partent ...
4. La plupart des gens sont ...
5. La plupart du temps, il fait ...

E/
1. plusieurs
2. La plupart des matchs
3. quelques-unes
4. quelques
5. quelques-unes

7

1. Chaque jour ... chaque fois
2. Chaque spectateur ... chacun
3. Dans chaque famille ... chacun
4. Chaque soir ... chacun
5. chaque question ... à chacune.

8

1. Non, je n'ai aucune patience.
2. Non, je n'ai aucun projet.

3. Non, il n'y a aucune lettre.

4. Non, ils ne pratiquent aucun sport.

5. Non, je n'ai aucune nouvelle ...

6. Non, je ne connais aucune boutique ...

7. Non, il n'y a plus aucun espoir.

8. Non, ce danseur n'a aucun talent.

9. Non, il n'y a aucun restaurant chinois ...

10. Non, je n'ai aucune chance de ...

9

A/

1. une autre **2.** une autre **3.** un autre **4.** une autre
5. un autre **6.** un autre

B/

1. d'autres propositions **2.** d'autres idées **3.** d'autres
rendez-vous **4.** d'autres matchs **5.** d'autres recettes
6. d'autres factures.

C/

1. Quelques-uns vont vers le Sud, d'autres vont vers
l'Est.

2. Quelques-unes sont sérieuses, d'autres sont
agréables à lire.

3. Quelques-uns habitent en banlieue, d'autres habitent dans le centre.

4. Quelques-unes font des études de droit, d'autres
font des études de langues.

5. Quelques-uns pratiquent le judo, d'autres pratiquent le football.

6. Quelques-unes sont bonnes, d'autres sont mauvaises.

10

A/

1. l'un ... , l'autre **2.** l'une ... à l'autre. **3.** l'un ... ,
l'autre. **4.** l'une ... , l'autre **5.** l'un ... , l'autre

B/

1. les unes en France, les autres à l'étranger.

2. les uns sont chers, les autres sont bon marché.

3. les uns sont typiques, les autres sont ordinaires.

4. les unes sont folles, les autres sont géniales.

5. les uns sont européens, les autres sont asiatiques.

C/

1. l'un ... , l'autre **2.** l'une à l'autre **3.** l'un ou l'autre
4. ni l'un ni l'autre **5.** l'un de l'autre.

D/

1. de l'autre. **2.** des autres. **3.** de l'autre (des autres).
4. des autres. **5.** des autres.

11

1. d'autres fax ou d'autres lettres ?

2. les autres.

3. des autres journalistes ?

4. d'autres propositions ?

5. d'autres conseils ?

6. Mais où sont les autres ?

7. d'autres billets.

8. d'autres places ?

9. des autres candidats.

10. d'autres plantes ?

12

1. Non, il ne connaît personne d'autre ici.

2. Non, elle ne rêve de personne d'autre.

3. Non, je ne veux rien boire d'autre.

4. Non, je n'ai rien d'autre à faire.

5. Non, je ne vois personne d'autre.

13

A/

1. Non, je vais autre part (ailleurs). **2.** Non, je ne vais
nulle part. **3.** Non, je veux dormir autre part (ailleurs).
4. Non, le chaton n'est nulle part. **5.** Non, il est ailleurs
(autre part). **6.** Non, je ne vais nulle part.

B/

1. quelque part ? **2.** autre part (ailleurs). **3.** elles
ne sont nulle part. **4.** ailleurs (autre part). **5.** quelque
part.

14

A/

1. Non, rien. Je ne fais rien.

2. Non, nulle part. Ils ne vont nulle part.

3. Non, aucun. Il n'y a aucun château ...

4. Non, rien. Je ne comprends rien.

5. Non, personne. Personne ne frappe ...

6. Non, nulle part. Il ne pleut nulle part.

7. Non, rien. Il ne dit rien.

8. Non, personne. Personne ne veut ...

9. Non, aucune. Il ne reste aucune place.

10. Non, rien. Je ne sais rien.

B/

1. Non, à rien. Je ne pense à rien.

2. Non, à personne. Je ne pense à personne.

3. Non, de personne. Je n'ai besoin de personne.

4. Non, de rien. Je n'ai besoin de rien.

5. Non, avec personne. Je ne pars avec personne.

6. Non, de rien. Je n'ai peur de rien.

15

1. Rien.
2. Personne.
3. Rien.
4. Personne.
5. Nulle part.
6. Rien.

16

1. toute, tout
2. Toute, tous
3. tous, toute
4. toutes, toutes
5. tous, toutes
6. tous
7. toute
8. Tous
9. toute
10. Tous

17

A/
1. tout. Oui, je comprends tout.
2. tout. Oui, il doit tout dire.
3. Tout. Non, tout n'est pas parfait.
4. tout. Oui, tout est en solde.
5. tout. Non, il ne faut pas tout jeter.

B/
1. Oui, ils sont tous en fleurs (tous sont en fleurs).
   Non, ils ne sont pas tous en fleurs (tous ne sont pas en fleurs).
2. Oui, elles sont toutes exactes (toutes sont exactes).
   Non, elles ne sont pas toutes exactes (toutes ne sont pas exactes).
3. Oui, elles sont toutes bonnes (toutes sont bonnes).
   Non, elles ne sont pas toutes bonnes (toutes ne sont pas bonnes).
4. Oui, ils vont tous à ce concert (tous vont ...).
   Non, ils ne vont pas tous à ce concert (tous ne vont pas ...).
5. Oui, ils sont tous à moi (tous sont à moi).
   Non, ils ne sont pas tous à moi (tous ne sont pas à moi).

18

A/
1. tout, tout 2. tout, tout, tout 3. tout, tout ,tout

B/
1. tout 2. toutes, tout 3. toute, toutes

19

1. tous, tout 2. tous, tous 3. toutes, tout 4. tous
5. tous 6. tout, tout 7. tout 8. tout, tout 9. toutes, toutes 10. toute, toute

20

A/
1. Tout le monde, chacun.
2. tout le monde, personne !
3. tout le monde, personne
4. Personne, tout le monde (chacun)

B/
1. On attend
2. tout le monde tourne
3. personne ne dit
4. Chacun observe...

21

1. la même, le même, la même, les mêmes
2. les mêmes
3. la même, les mêmes
4. à la même, les mêmes, au même
5. de la même, du même

22

On, tous, toutes, aucun. Tout le monde. Quelques-uns, d'autres (les uns, les autres). tous. Personne. l'autre, chacun. La plupart. Rien. On, nulle part ailleurs.

CHAPITRE 13

Le futur de l'indicatif

1

A/

Je	serai	J'	aurai
Tu	seras	Tu	auras
Il	sera	Il	aura
Nous	serons	Nous	aurons
Vous	serez	Vous	aurez
Ils	seront.	Ils	auront.

B/

1. Demain, je serai heureuse. 2. ce sera l'été. 3. nous serons libres. 4. nous aurons de la chance. 5. tu auras de longues vacances. 6. j'aurai quelques jours de repos. 7. nos amis seront là aussi. 8. ils auront un bel été. 9. vous aurez le temps de voyager. 10. vous serez ensemble.

2

A/

1. Tu habiteras
2. Il arrivera
3. Nous divorcerons
4. Vous déménagerez
5. Ils entreront

B/

1. Tu étudieras 2. Elle essaiera 3. Nous jouerons 4. Vous emploierez 5. Ils photocopieront

C/

1. Il préférera 2. Les chirurgiens opéreront 3. Nous répéterons

D/

1. tu amèneras 2. Le guide emmènera 3. Ils enlèveront 4. il gèlera 5. vous achèterez 6. je rappellerai 7. nous projetterons

3

1. Oublier	→ Je n'oublierai rien.
2. Louer	→ Vous louerez ce studio.
3. Travailler	→ Ils travailleront tard.
4. Annoncer	→ J'annoncerai la nouvelle.
5. Diriger	→ Tu dirigeras l'entreprise.
6. Renseigner	→ Ils renseigneront les passants.
7. Balayer	→ Elle balaiera la cuisine.
8. Jeter	→ Vous jetterez tout.
9. Régler	→ Elles régleront l'addition.
10. Pleurer	→ Tu ne pleureras plus.

4

A/

1. Tu choisiras, tu réfléchiras.
2. Elle guérira, elle vieillira.
3. Nous mincirons, nous maigrirons.
4. Vous grandirez, vous grossirez.
5. Ils démoliront, ils rebâtiront.
6. Je rougirai, je pâlirai.

B/

1. Mûrir	→ Les fruits mûriront
2. Fleurir	→ Ce rosier fleurira
3. Réunir	→ Elles réuniront
4. Atterrir	→ L'avion atterrira
5. Obéir, désobéir	→ Tu obéiras ou tu désobéiras
6. Réagir	→ Vous réagirez

5

A/

1. Ouvrir	→ Vous ouvrirez.
2. Sortir	→ Tu sortiras.
3. Servir	→ Il servira.
4. Partir	→ Je partirai.
5. Offrir	→ Elle offrira.
6. Croire	→ Elle croira.
7. Lire	→ Je lirai.
8. Conduire	→ Nous conduirons.
9. Vivre	→ Tu vivras.
10. Mettre	→ Ils mettront.
11. Perdre	→ Vous perdrez.
12. Prendre	→ Je prendrai.
13. Répondre	→ Elles répondront.
14. Peindre	→ Nous peindrons.
15. Connaître	→ Il connaîtra.

B/

1. je ne sentirai plus ...
2. Nous écrirons ...
3. Le soleil disparaîtra ...
4. Vous vivrez ...
5. Je traduirai ...
6. nous boirons ...
7. tu éteindras ...
8. Est-ce que vous reprendrez ... ?
9. Nous attendrons ...
10. Le champion battra ...

6

A/

1. Pleuvoir → Il pleuvra
2. Devoir → Est-ce que tu devras
3. Apercevoir → Vous apercevrez
4. Recevoir → Je recevrai
5. Devoir → Ils devront

B/

1. Tenir → Vous tiendrez
2. Venir → Viendras-tu
3. Falloir → Il ne faudra plus
4. Vouloir → Ils ne voudront plus
5. Valoir → Il vaudra mieux.
6. Revenir → Je reviendrai.

7

1. Voir → Est-ce que tu verras
2. Renvoyer → Ces joueurs renverront
3. Être → Il sera
   Pouvoir → Il ne pourra pas
4. Mourir → Nous mourrons
5. Courir → Est-ce que vous courrez ?

8

A/

1. J'irai, vous irez
2. Tu feras, ils feront
3. Nous saurons, elles sauront
4. Il cueillera, elles cueilleront
5. Je referai, vous referez

B/

1. On ne saura jamais
2. Nous cueillerons
3. Ils n'iront pas
4. Est-ce que vous ferez
5. Tu iras faire

9

1. Elles voudront 2. Il ne viendra pas 3. Tu ne sauras pas 4. Vous recevrez 5. Nous enverrons 6. Je ne verrai pas 7. Vous n'irez pas 8. Qu'est-ce que tu feras 9. Il ne faudra pas 10. Il devra

10

1 = A	2 = B	3 = B	4 = A	5 = B
6 = A	7 = B	8 = B	9 = A	10 = B

11

1. La neige va tomber.
2. les portes de l'avion resteront
3. Nous n'irons plus
4. tu vas tomber !
5. L'autobus va partir.
6. Je retournerai sûrement
7. Elle va accoucher
8. le concert va commencer.
9. Ils vont devenir fous
10. serons-nous ? ferons-nous ?

12.

A/

Pour aller à la poste, tu prendras ..., puis tu devras traverser... Là, tu suivras ..., tu feras ..., tu verras ..., tu pourras reconnaître... . Tu entreras, tu choisiras ..., tu attendras ..., tu demanderas et tu recevras..., tu remercieras ... . Tu m'achèteras des timbres !

B/

Demain, j'irai..., je prendrai ..., je ne conduirai pas trop vite et j'essaierai... . Toi, tu descendras ..., tu courras .... et nous nous retrouverons. Ensuite, nous reviendrons ... et nous boirons ... . Nous appellerons ... . Ils se souviendront de toi. J'inviterai ... . Nous ferons ... . Il y aura ... . Sur un grand gâteau, je mettrai ..., puis j'éteindrai... . Tu souffleras, on rira, on applaudira. Personne ne voudra ... . Alors, on ouvrira ..., on dansera, on bavardera. Ce sera une belle nuit ! Le matin, le soleil apparaîtra ..., chacun rentrera ...

13

Demain, la température baissera et le temps sera pluvieux. Au Nord, il y aura du brouillard le matin, et il fera froid. Au Sud, il ne pleuvra presque pas et le soleil brillera légèrement l'après-midi. En montagne, le temps sera gris et il neigera le soir. Après-demain, la température restera stable, mais pendant le week-end, elle montera, et il fera beau.

CHAPITRE 14

L'impératif

1

1. sois à l'heure !
2. N'aie pas de retard !
3. Soyons optimistes !
4. Ayons de la patience !
5. Ayez confiance !
6. Ne soyez pas agressif !

2

1. Marche ! 2. Écoute ! 3. Regarde ! 4. Essaie (Essaye) ! 5. Ne rentre pas ! 6. Appelons ! 7. Oublions ! 8. Frappez ! 9. Ne dérangez personne ! 10. Ne réveillez pas !

3

1. Choisis !
2. Réfléchis !
3. Réunissons !
4. Ne punissez personne !
5. Ne maigrissez pas trop !
6. Réagissons !

4

1. Prenons ... et allons ... !
2. Sors et fais ... !
3. Faites ..., dites ... !
4. Viens ... et buvons ... !
5. Reçois ..., offre... !
6. Vendons ... et partons ... !
7. Tenez ...., revenez ... !
8. Ne réponds à personne, n'ouvre ... !
9. Va ... et suis ... !
10. Écrivez ...et devenez ... !

5

A/
1. Dors peu, sois !
2. Bois, fume !
3. Vois, deviens !
4. Ne rends jamais service, dis !
5. N'aie, suis !

B/
Charlie ! Mets... ! Va... ! Attends, ... !...ouvre ..., appelle ... ! Fais ... ! Ne cours pas, ... ! Donne ... ! Arrête ... ! Mais réponds ... ! Sois ... ! Reste ... !

CHAPITRE 15

L'imparfait de l'indicatif

1

A/

J'	étais	J'	avais
Tu	étais	Tu	avais
Il	était	Il	avait
Nous	étions	Nous	avions
Vous	étiez	Vous	aviez
Ils	étaient	Ils	avaient

B/

1. j'étais / nous étions 2. il avait / ils avaient. 3. il était / ils étaient. 4. je n'avais pas / nous n'avions pas. 5. Tu avais / Vous aviez.

2

A/

Je pensais, Tu pensais, Il pensait, Nous pensions, Vous pensiez, Ils pensaient.

B/

1. Tu parlais 2. J'écoutais 3. Nous rentrions 4. Elle habitait 5. Vous téléphoniez 6. Ils jouaient

C/

1. Nous appelons : Tu appelais, vous appeliez.
2. Nous jetons : Je jetais, ils jetaient.
3. Nous gelons : Il gelait, nous gelions.
4. Nous emmenons : Tu emmenais, ils emmenaient.
5. Nous répétons : Elle répétait, vous répétiez.

D/

1. Tu achetais. 2. Vous appeliez. 3. j'emmenais.
4. Tu jetais tout, vous ne jetiez rien. 5. espérait.

3

A/

1. Nous annonçons : Tu annonçais, vous annonciez.
2. Nous plaçons : Nous placions, ils plaçaient.
3. Nous remplaçons : Je remplaçais, il remplaçait.
4. Nous changeons : Il changeait, nous changions.
5. Nous partageons : Ils partageaient, je partageais.
6. Nous voyageons : Vous voyagiez, tu voyageais.

B/

1. je nageais.
2. Ils commençaient.
3. Tu prononçais.
4. nous déménagions.
5. il ne neigeait jamais.
6. vous dirigiez.

4

A/

1. elle payait. 2. vous nettoyiez. 3. ils ennuyaient.
4. nous étudiions. 5. tu remerciais.

B/

1. Il essayait 2. Vous criiez 3. Nous employions
4. Je photographiais 5. Tu essuyais

5

1. brillaient 2. réveillions 3. gagniez 4. signait
5. conseilliez 6. soignaient

6

A/

1. elle mincissait 2. je grossissais 3. ils réunissaient
4. vous désobéissiez 5. tu remplissais 6. nous applaudissions

B/

1. finissais 2. réfléchissait 3. rougissais 4. atterrissaient 5. obéissions 6. réussissiez

7

A/

1. Nous sortons, nous sortions
2. Elles dorment, elles dormaient
3. Ils servent, ils servaient
4. Vous venez, vous veniez
5. Nous ne tenons pas, nous ne tenions pas
6. Vous mentez, vous mentiez
7. Ces parfums sentent, sentaient
8. Elles deviennent, elles devenaient
9. Nous mourons, nous mourions
10. Vous courez, vous couriez

B/

1. Ils offrent, ils offraient
2. Nous n'ouvrons pas, nous n'ouvrions pas
3. Vous cueillez, vous cueilliez
4. Elles ne souffrent pas du tout, elles ne souffraient pas du tout
5. Vous découvrez, vous découvriez
6. Nous accueillons, nous accueillions

8

A/

1. tu disais. 2. je traduisais. 3. ils plaisaient. 4. nous relisions. 5. cela suffisait. 6. Vous interdisiez.

B/

1. elles attendaient un taxi. 2. tu répondais au téléphone. 3. il perdait son temps. 4. je permettais tout. 5. vous battiez les cartes. 6. nous mettions le couvert.

C/

1. tu paraissais, ils paraissaient. 2. je reconnaissais, nous reconnaissions. 3. il disparaissait, vous disparaissiez.

D/

1. je craignais, elles craignaient. 2. elle peignait, nous peignions. 3. tu éteignais, vous éteigniez.

E/

1. lisais 2. entendions 3. conduisiez 4. disaient 5. mettais 6. connaissait 7. combattaient 8. défendait 9. éteignions 10. plaigniez

9

A/

1. tu savais, vous saviez. 2. elle devait, nous devions. 3. j'apercevais, ils apercevaient. 4. tu recevais, vous receviez. 5. il voulait, elles voulaient.

B/

1. pouvions 2. valait 3. devais 4. pleuvait 5. fallait

10

A/

1. je voyais, il voyait. 2. elle croyait, nous croyions. 3. tu buvais, vous buviez. 4. tu écrivais, elles écrivaient. 5. il vivait, vous viviez. 6. je suivais, nous suivions. 7. tu riais, nous riions. 8. je prenais, ils prenaient. 9. elle faisait, vous faisiez. 10. tu allais, ils allaient.

B/

1. écrivais 2. buvions 3. Voyais 4. croyaient 5. vivais 6. suiviez 7. prenais 8. riaient 9. faisais 10. allais

11

1 = A	2 = B	3 = C	4 = A	5 = B
6 = C	7 = A	8 = B	9 = A	10 = C

12

1. D'habitude, Philippe et moi (nous) sortions après le déjeuner.
2. Généralement, mes amis venaient me voir pendant le week-end.
3. Chaque soir, je rejoignais Annabel dans un bistrot de mon quartier.
4. Chaque jour, elle découvrait de nouveaux amis.
5. Dans leur jeunesse, mes parents n'allaient jamais à la montagne.
6. Pendant l'été, tu nageais tous les jours.
7. Tous les matins, il ouvrait sa fenêtre et faisait du yoga.
8. Est-ce que tu écrivais souvent à ton ami pendant ton séjour à Prague ?
9. En général, Sophie lisait les romans à la mode.
10. Habituellement, vous passiez vos vacances dans les îles grecques.

13

1. L'émission de télévision allait finir. Il était déjà minuit.
2. Tu allais repartir dans ton pays, nous allions nous quitter.
3. Ces chercheurs étaient contents : ils venaient de découvrir un nouveau vaccin.
4. Nous venions de comprendre la question et nous allions répondre.
5. Louis venait d'entrer dans son bain, il fermait les yeux.
6. Le champion allait gagner la course, il venait de passer devant tous les autres.
7. L'hôtesse préparait sa valise : elle venait de recevoir son emploi du temps.
8. Je venais de finir mes examens, j'allais m'en aller.
9. Ils allaient louer un bateau, ils voulaient traverser la Méditerranée.
10. Le match allait commencer, les joueurs venaient d'entrer sur le terrain.

14

tombait. faisait. recouvrait. était. avait. brillaient. pouvait. commençait. apparaissait et disparaissait. voyais, distinguais. Etait-ce ? Etait-ce ?

15

A/

nous faisions ... et nous passions... . Nous jouions ..., nous choisissions.. ou José prenait ... . Parfois, Muriel nous lisait ..., des amis nous rejoignaient. Ils venaient rire ... Puis nous allions ... et nous finissions...

CHAPITRE 16

Le passé composé de l'indicatif

1

Hier, j'	ai eu	Hier, j'	ai été
tu	as eu	tu	as été
il	a eu	il	a été
nous	avons eu	nous	avons été
vous	avez eu	vous	avez été
ils	ont eu	ils	ont été

2

1. j'ai marché 2. Ils ont mangé 3. Tu as écouté
4. Elle a oublié 5. vous avez essayé

3

1. Elle a rajeuni 2. Il a vieilli 3. Je n'ai pas grossi.
4. Vous avez maigri 5. Ils ont enfin choisi

4

1. a servi 2. avez bien dormi ? 3. ai senti 4. avons
cueilli 5. as menti !

5

A/

1. ont attendu 2. as répondu ? 3. avons perdu
4. a rendu 5. avez vendu 6. ai confondu 7. a battu

B/

8. as connu 9. a disparu 10. avez reconnu

6

1. avons revu
2. a prévu
3. a voulu
4. a fallu
5. n'as pas pu
6. a su
7. ai dû
8. a plu
9. avez reçu
10. ont aperçu

7

1. as déjà tenu 2. n'ai pas lu 3. avez trop bu !
4. as cru 5. a plu

8

1. avez appris 2. n'ai pas compris 3 ai mis 4. ont
promis 5. as repris

9

A/

1. Ils n'ont rien dit.
2. Est-ce que tu as écrit
3. On a interdit

B/

4. a traduit
5. n'ai pas conduit
6. ont-ils construit

10

1. a couvert 2. as offert 3. a découvert 4. ai beaucoup souffert. 5. a recouvert

11

1. a peint 2. n'avons pas craint 3. as teint 4. ai repeint
5. ont rejoint

12

1. as fait 2. ont vécu 3. avons ri 4. a suivi 5. a assis

13

1. sont allées 2. sommes entré(e)s 3. n'est pas encore arrivé. 4. est tombée 5. êtes-vous resté(e)(s)
6. sommes venu(e)s 7. es-tu revenu(e) 8. est devenue 9. est-il mort ? 10. suis né(e) le 20 mars 1977.

14

1. Vous n'avez pas retourné / je suis retourné(e).
2. Nous avons monté / sont montés
3. Nous avons descendu / Ils sont descendus
4. tu as rentré / Nous sommes rentré(e)s
5. vous avez sorti / sont-ils sortis ?

15

A/

1. Elle n'est pas sortie ce matin. Elle n'a pas travaillé.
2. Elle n'a pas eu de chance dans la vie. Elle n'a
pas été heureuse.
3. Il n'a plus fumé depuis ce jour-là.
4. Je n'ai jamais vu de fantômes. Ils ne sont jamais
venus chez moi.

5. Je n'ai pas encore compris.
6. Il n'a rien vu, il n'a rien entendu, il n'a rien voulu savoir.
7. Depuis ce jour-là, il n'a plus conduit.

B/

8. Nous n'avons eu aucun problème, nous n'avons rien demandé.
9. Il n'est allé nulle part. Il n'a rencontré personne.
10. Mon frère n'a écouté personne et n'a accepté aucun conseil.

16

1. Pourquoi a-t-elle épousé ce garçon ? Pourquoi est-ce qu'elle a épousé ... ?
2. Par quelle route es-tu passé ? Par quelle route est-ce que tu es passé ?
3. En quelle année ont-ils vendu leur maison ? En quelle année est-ce qu'ils ont vendu ... ?
4. À qui avez-vous écrit ? À qui est-ce que vous avez écrit ?
5. Quand es-tu arrivé(e) à Lille ? Quand est-ce que tu es arrivé(e) à Lille ?
6. Comment ont-ils appris cette nouvelle ? Comment est-ce qu'ils ont appris ... ?
7. Qu'ont-elles acheté ? Qu'est-ce qu'elles ont acheté ?
8. Quel cadeau a-t-elle offert à son mari ? Quel cadeau est-ce qu'elle a offert ... ?
9. Combien de jours est-il resté à Athènes ? Combien ... est-ce qu'il est resté ... ?
10. Combien ai-je dépensé hier ? Combien est-ce que j'ai dépensé hier ?

17

1. Il a ouvert la porte.
2. Il est entré.
3. Il est resté un moment debout.
4. Il a réfléchi.
5. Il a fait quelques pas.
6. Il est allé à la fenêtre.
7. Il a regardé la rue.
8. Il est revenu au milieu de la pièce.
9. Il a sorti un paquet de l'armoire.
10. Il est sorti.
11. Il a fermé la porte.
12. Il a marché.
13. Il a couru.
14. Il a jeté le paquet dans la rivière.

18

1 = A	2 = B	3 = C	4 = A	5 = A
6 = C	7 = C	8 = B	9 = A	10 = C

19

1. Ce matin, il a fallu partir très tôt.
2. Dimanche dernier, nous avons joué au golf.
3. Il y a quelques minutes, le facteur a sonné à la porte.
4. La nuit dernière, vous avez pris un taxi pour rentrer chez vous.
5. Pendant deux jours, j'ai dormi sans arrêt.
6. De huit heures à midi, le malade est resté dans la salle d'opération.
7. Jusqu'à sept heures du soir, les manifestants ont défilé dans la rue.
8. Le 10 mai 1975, Boris est né à Moscou.
9. Tout à coup, elle est devenue furieuse et elle a commencé à crier.
10. Milou a disparu quelques jours puis il est revenu.

20

A/

1. L'avion vient d'atterrir
2. l'avion a décollé
3. Le train vient de partir
4. Elle vient de passer son permis de conduire.
5. un joueur vient de marquer un but.

B/

1. Ils allaient arriver.
2. Vous alliez partir.
3. Tu allais sortir.
4. Je suis allé(e) (j'allais) composter les billets.
5. Nous sommes allé(e)s (nous allions) faire une promenade.
6. Tu es allé (tu allais) retirer de l'argent à la banque.
7. Vous êtes allé(e)(s) (vous alliez) chercher Luc à l'aéroport.
8. Le bébé allait naître.
9. Ces arbres allaient devenir très grands.
10. Tu allais (tu es allé(e)) ouvrir la fenêtre.

21

A/

1. a sonné ? n'avons rien entendu.
2. ont acheté, ont fait
3. sont entrés et ... a applaudi.
4. tu as mis ... ? j'ai oublié !
5. elle a aperçu, elle a poussé

B/

1. attendait. on a annoncé
2. je vous ai téléphoné, vous étiez
3. était. est devenu.
4. Je descendais. j'ai raté ... et je suis tombé(e)
5. Elle venait. Elle a ouvert

22

A/

Yannick dormait quand le téléphone a sonné... Il a couru ..., a répondu, mais il a entendu une voix qu'il ne connaissait pas. C'était une erreur. Il est retourné se coucher.

B/

est entré. Il avait. étaient, ils voulaient. Moi, je suis restée, devaient. J'ai ouvert et j'ai cherché. Je n'ai vu personne. Alors, je suis descendue et j'ai marché. attendaient : ils regardaient, ils dévisageaient ; ils craignaient. J'ai aperçu. J'ai couru. Nous sommes partis.

C/

sont allés. C'était. Ils savaient qu'il y avait. Quand ils sont entrés, a accueilli et a indiqué. Puis, ils ont attendu. Ils ont lu, mais il n'y avait que... Ils ne connaissaient aucun des noms. Soudain, est venu. on a éteint. Yann ne voyait plus rien, il ne comprenait pas : Philippe mourait de rire, riait et Yann voulait. Philippe a expliqué, étaient nus.

23

A/

j'ai décidé. Il venait ; ce n'était pas, il devait. j'ai choisi, c'était. Je savais, Robert aimait. Je suis monté, suis descendu : j'ai acheté, suis entré. J'ai posé. Il a dit. Nous avons bavardé : il a raconté. Je suis resté, je ne voulais pas. je suis reparti. Je ne craignais plus rien. Robert semblait.

B/

Sabine détestait, elle a regardé : ils paraissaient. Il fallait. elle a pris. elle est arrivée, il coiffait. Elle a attendu, a lu, le coiffeur est venu, a demandé, pouvait. Elle a répondu, il devait. il a pris, a observé, a commencé. elle a eu, Sabine a souri, est ressortie.

24

A/

C'était. Victor Fournier rentrait. Il avait. il est arrivé, a vu. Il y avait.

beaucoup d'enfants étaient, attendaient. Victor savait. il a couru, a monté, a appelé, a conduit.

les pompiers sont arrivés, tous les enfants ont pu. Victor Fournier est devenu !

B/

Sophie était. Elle écrivait. Elle rêvait, elle songeait, elle choisissait, puis elle mettait et réfléchissait. Elle devait faire, il fallait trouver, mais elle ne pouvait pas, elle ne savait pas ... qu'elle ressentait. Elle partait, elle était.

Soudain le garçon est arrivé, il lui a demandé ce qu'elle voulait. Elle est redescendue. Il est parti et il est revenu. Il a servi Sophie, elle a pris et a bu. Elle a mis, le garçon a rendu, puis elle est repartie. Finalement elle a écrit sa lettre.

CHAPITRE 17

Les compléments d'objet direct et indirect

1

A/

1. Ils écoutent de la musique. **2.** Nous avons visité le musée Picasso. **3.** Tu n'aimes pas cet acteur. **4.** Je lirai un bon roman. **5.** Elle finissait ses études.

B/

1. Qu'est-ce que tu as répondu au journaliste ? **2.** Pensez-vous à votre avenir ? **3.** Elle manque à ses parents. **4.** Ils joueront aux cartes. **5.** Je n'ai pas écrit à mon patron.

C/

1. Je manque d'argent. **2.** Nous n'avions pas peur des orages. **3.** Parfois, elle parlait de ses difficultés. **4.** Ils ont joué du violon. **5.** Bientôt, vous changerez d'appartement.

2

A/

1. Nous avons acheté un caméscope. **2.** Ils ne regarderont pas la télévision. **3.** Est-ce que vous connaissez Stockholm ? **4.** J'ai reçu des fleurs. **5.** Est-ce que tu as envoyé un télégramme ? **6.** N'oublie pas de téléphoner au plombier. **7.** Il ressemblait beaucoup à C. Chaplin. **8.** Est-ce que vous avez répondu à son invitation ? **9.** Nous n'avons pas besoin de votre aide. **10.** J'avais très envie de prendre un bain.

B/

1. Je manque de temps. **2.** Ils jouent souvent au tennis. **3.** Elle aime le fromage. **4.** Tu ne téléphoneras pas à Cédric. **5.** Est-ce que tu as aimé ce reportage ? **6.** Vous faites de la musique.

3

A/

1. Mon stylo. J'ai perdu mon stylo.
2. Le trompettiste. Je regarde le trompettiste.
3. Une bière. Je veux une bière.
4. L'agent immobilier. Elle attend l'agent immobilier.
5. Un nouveau jeu video. J'ai apporté un nouveau jeu video.
6. Un vieil ami. J'ai rencontré un vieil ami.

B/

1. À son beau-frère. Elle parle à son beau-frère.
2. De sa belle-soeur. Elle parle de sa belle-soeur.
3. À ma tante. Je pense à ma tante.

4. Aux fêtes de famille. Je pense aux fêtes de famille.
5. Des séparations. Ils ont peur des séparations.
6. À l'été prochain. Je rêve à l'été prochain.

C/

1. Un défilé de mode. Je regarde un défilé de mode.
2. Au dentiste. J'ai téléphoné au dentiste.
3. De tranquillité. Nous avons besoin de tranquillité.
4. Des amis d'enfance. Nous avons invité des amis d'enfance.
5. Des livres rares. Je cherche des livres rares.
6. De personne. Je n'ai peur de personne.

4

1. d'	6. à
2. à	7. –
3. de	8. à
4. de	9. –
5. –	10. –

5

1. Les enfants jouent au football.
2. Ils jouent de la guitare.
3. Il parle à son voisin.
4. Ils parlent du prochain tournoi de tennis.
5. Elle profite du beau temps pour jardiner.
6. Ses amis manquent à Florence.
7. Florence manque d'affection.
8. Réfléchissez à ma proposition.
9. Tu ne racontes jamais tes journées.
10. Tu ne rencontres jamais Frédéric.

6

A/

1. Il prête un livre à un copain.
2. Ils demandent leur chemin à une jeune fille.
3. Elle ne dit pas la vérité à son mari.
4. Il a promis un voyage à sa femme.
5. Elle va écrire une lettre à son amie.
6. Ils ont emprunté de l'argent à leur oncle.
7. Rends sa cassette vidéo à Didier.
8. Ils racontent leur voyage à leurs fils.
9. Je viens d'annoncer la naissance du bébé à son frère.
10. Le garçon apportera leurs boissons aux clients.

B/

1. J'ai remercié Olivia de son cadeau. **2.** Le gardien a prévenu la police du vol. **3.** Tout le monde félicite les jeunes gens de leur mariage. **4.** Les panneaux lumineux informent les voyageurs du retard du train.

C/

1. Ils ont accepté l'invitation du ministre. **2.** Je viens de recevoir des nouvelles d'un ami d'enfance. **3.** Il espère une réponse du directeur. **4.** Ils ont obtenu une augmentation du patron.

7

A/

1. Tu demandes à Gloria de revenir. **2.** J'ai dit à Olivier de ne pas crier. **3.** On ne permet pas aux gens d'entrer sans billet. **4.** Tu as promis à Marlène de rentrer tôt. **5.** Le médecin a conseillé à son malade de prendre du repos. **6.** Il a proposé à ses copains de fonder un orchestre de jazz.

B/

1. Le journaliste invite l'artiste à parler de son œuvre. **2.** Le chômage force les gens à vivre très simplement. **3.** Pierre a aidé Laurent à déménager.

C/

1. Il remercie les passagers d'observer les consignes de sécurité. **2.** J'empêcherai les oiseaux de venir manger les cerises. **3.** Tu as persuadé tes parents de partir en voyage.

8

A/

1. Est-ce que vous aimez nager ?
2. Est-ce que tu préfères jouer ?
3. Je déteste déménager.
4. Il souhaite travailler.
5. Ils ne veulent pas divorcer.
6. Aimes-tu skier ?

B/

1. Ils continuent à courir.
2. Est-ce que tu commences à dessiner ?
3. Nous avons accepté de voyager avec lui.
4. on va interdire de stationner.
5. Le chirurgien a décidé d'opérer.

9

Ariel, est-ce que tu as aussi manqué le cours d'anglais ? Moi, j'ai préféré travailler car je commence à avoir peur de l'examen.
– ... j'ai assisté à ce cours et j'ai pris des notes mais le professeur a parlé de l'année prochaine, et tu as eu tort de ne pas venir.
– ... je voulais finir de préparer mon exposé pour lundi. Dis, tu n'as sans doute pas besoin de tes notes aujourd'hui, est-ce que je pourrai les photocopier... ?
– ... Je n'aime pas prêter mes affaires à n'importe qui .... Prends mon classeur, mais n'oublie pas de me rendre mes notes.
– Je te promets de tout rapporter demain. Merci d'aider tes copains !

CHAPITRE 18

Les verbes pronominaux

1

A/

Le matin,

tu te réveilles, tu t'étires et tu te lèves.

il se réveille, il s'étire et il se lève.

nous nous réveillons, nous nous étirons et nous nous levons.

vous vous réveillez, vous vous étirez et vous vous levez.

ils se réveillent, ils s'étirent et ils se lèvent.

B/

Hier matin,

tu t'es réveillé(e), tu t'es étiré(e) et tu t'es levé(e).

il s'est réveillé, il s'est étiré et il s'est levé.

elle s'est réveillée, elle s'est étirée et elle s'est levée.

nous nous sommes réveillé(e)s, nous nous sommes étiré(e)s et nous nous sommes levé(e)s.

vous vous êtes réveillé(e)s, vous vous êtes étiré(e)s et vous vous êtes levé(e)s.

ils se sont réveillés, ils se sont étirés et ils sont levés.

elles se sont réveillées, elles se sont étirées et elles se sont levées.

2

1. tu te coucheras, tu t'endormiras.
2. s'amusaient, ne s'ennuyaient pas du tout.
3. il se lave, il se rase.
4. Elle se coiffe, elle se maquille et elle s'habille.
5. nous nous sommes promené(e)s, nous nous sommes perdu(e)s.
6. Elle se regarde, elle se sourit.
7. Nous nous installerons, nous nous habituerons.
8. Plus il s'approchait, plus je m'éloignais.
9. Je me suis trompé(e), je me suis arrêté(e).
10. tu t'intéressais.

3

1. Ils se voient, ils se téléphonent, ils s'écrivent.
2. on se rencontrera, on se sourira, on se parlera.
3. Nous nous interrogions, nous nous posions.
4. Vous vous êtes mariés, vous vous êtes séparés ?

4

1. Nous nous disputions, tu t'en allais.
2. Je me suis souvenu(e), je me suis dépêché(e).
3. elle se tait, elle s'évanouit.
4. vous vous occuperez
5. Les enfants se moquent, il s'échappe, il s'enfuit.

5

1. Nous allons nous reposer. 2. On n'aime pas se disputer. 3. Ils viennent de se marier. 4. Je préfère me taire. 5. Tu veux t'amuser. 6. Elle espère ne pas se tromper. 7. Je commence à me sentir bien. 8. Nous continuons à nous voir. 9. Vous décidez de vous retrouver au café. 10. Tu détestes te coucher tôt.

6

1. J'ai décidé de mener / il s'est décidé à partir.
2. j'aperçois les arbres / il ne s'est pas aperçu de son erreur.
3. À quoi sert un aspirateur ? / on se sert d'un tire-bouchon.
4. J'attendais Louis / Nous ne nous attendions pas à ce résultat.
5. tu as rendu son disque / nous nous rendrons au festival de Cannes.
6. tu as trouvé ce mot / se trouve près de Bordeaux.
7. Mets tes bottes ? / Ils se sont mis à rire.
8. produit des bananes / s'est produit en 1789.
9. vous avez passé une bonne journée ? / que s'est-il passé hier ?
10. Ils ont arrêté leurs études / tu t'es arrêté de fumer.

CHAPITRE 19

Les pronoms personnels

1

A/

1. Vous, nous. **2.** Moi, toi. **3.** elle. **4.** lui. **5.** Eux, elles.

B/

1. à moi. **2.** chez eux. **3.** à côté de lui. **4.** avec moi ! **5.** pour elle, d'elle.

2

A/

1. Oui, je l'écoute. Non, je ne l'écoute pas tous les matins.
2. Oui, je le regarderai (nous le regarderons). Non, je ne le regarderai pas (nous ne le regarderons pas).
3. Oui, nous la verrons. Non, nous ne la verrons pas.
4. Oui, il les accepte. Non, il ne les accepte pas.
5. Oui, je les aime. Non, je ne les aime pas.

B/

1. Oui, je les connais. Non, je ne les connais pas.
2. Oui, elle l'écoute souvent. Non, elle ne l'écoute pas souvent.
3. Oui, je la mettrai. Non, je ne la mettrai pas.
4. Oui, ils le prennent. Non, ils ne le prennent pas.
5. Oui, je les veux. Non, je ne les veux pas.
6. Oui, je le lirai. non, je ne le lirai pas.

C/

1. Oui, je l'ai. Non, je ne l'ai pas.
2. Oui, je l'ai retrouvé. Non, je ne l'ai pas retrouvé.
3. Oui, elle la détestait. Non, elle ne la détestait pas.
4. Oui, je les descendrai. Non, je ne les descendrai pas.
5. Oui, il l'a emporté. Non, il ne l'a pas emporté.
6. Oui, ils les paient. Non, ils ne les paient pas.

D/

1. Oui, je les ai perdus. Non, je ne les ai pas perdus.
2. Oui, je l'ai photographiée. Non, je ne l'ai pas photographiée.
3. Oui, il les a photocopiés. Non, il ne les a pas photocopiés.
4. Oui, on l'a filmée à Venise. Non, on ne l'a pas filmée à Venise.
5. Oui, il l'a aimée.
6. Oui, elle les a montrées. Non, elle ne les a pas montrées.

3

A/

1. Oui, j'en ai un. Non, je n'en ai pas.
2. Oui, j'en poserai une. Non, je n'en poserai pas.
3. Oui, ils en veulent une. Non, ils n'en veulent pas.
4. Oui, on en prend un. Non, on n'en prend pas.
5. Oui, j'en bois un. Non, je n'en bois pas.
6. Oui, j'en ai fait un. Non, je n'en ai pas fait.

B/

1. Oui, j'en porte. Non, je n'en porte pas.
2. Oui, j'en achèterai. Non, je n'en achèterai pas.
3. Oui, ils en ont demandé. Non, ils n'en ont pas demandé.
4. Oui, il y en a. Non, il n'y en a pas.
5. Oui, elle en casse souvent. Non, elle n'en casse pas souvent.
6. Oui, il en fait. Non, il n'en fait pas.

C/

1. Oui, j'en veux. Non, je n'en veux pas.
2. Oui, j'en ai. Non, je n'en ai pas.
3. Oui, j'en ai pris. Non, je n'en ai pas pris.
4. Oui, elle en a. Non, elle n'en a pas.
5. Oui, nous en avons fait (j'en ai fait). Non, nous n'en avons pas fait (je n'en ai pas fait).
6. Oui, j'en reprends. Non, je n'en reprends pas.

D/

1. Il en achètera six. Il n'en achètera aucune.
2. J'en prends deux. Je n'en prends aucune.
3. J'en bois trois. Je n'en bois pas (aucune).
4. Ils en ont quatre. Ils n'en ont pas (aucun).
5. Il y en a neuf.

E/

1. Oui, j'en prendrai quelques-unes. Non, je n'en prendrai aucune.
2. Oui, il en a écrit plusieurs. Non, il n'en a écrit aucun.
3. Oui, il en a bu plusieurs. Non, il n'en a bu aucun.
4. Oui, j'en ai fait plusieurs. Non, je n'en ai fait aucune.
5. Oui, il en reste quelques-unes. Non, il n'en reste aucune.
6. Oui, tu en as oublié quelques-uns. Non, tu n'en as oublié aucun.

F/

1. Oui, elle en a visité beaucoup. Non, elle n'en a pas visité beaucoup.

2. Oui, j'en ai gagné un peu. Non, je n'en ai pas gagné du tout.

3. Oui vous en faites trop. Non, vous n'en faites pas trop.

4. Oui, il y en a assez. Non, il n'y en a pas assez.

5. Oui, ils en ont beaucoup. Non, ils n'en ont pas beaucoup.

4

A/

1. Oui, elle lui a parlé. Non, elle ne lui a pas parlé.

2. Oui, je lui ai téléphoné. Non, je ne lui ai pas téléphoné.

3. Oui, je lui ressemble. Non, je ne lui ressemble pas.

4. Oui, il lui a répondu poliment. Non, il ne lui a pas répondu poliment.

5. Oui, il lui plaît. Non, il ne lui plaît pas.

B/

1. Oui, je pense à elle. Non, je ne pense pas à elle.

2. Oui, je penserai à lui. Non, je ne penserai pas à lui.

3. Oui, j'ai pensé à eux. Non, je n'ai pas pensé à eux.

4. Oui, je pensais souvent à elles. Non, je ne pensais pas souvent à elles.

C/

1. Oui, j'ai encore besoin d'elle. Non, je n'ai plus besoin d'elle.

2. Oui, elle a peur de lui. Non, elle n'a pas peur de lui.

3. Oui, je suis amoureux d'elle. Non, je ne suis pas amoureux d'elle.

4. Oui, elle parle souvent d'eux. Non, elle ne parle pas souvent d'eux.

5. Oui, elle est jalouse d'elles. Non, elle n'est pas jalouse d'elles.

5

A/

1. Oui, il y réfléchit. Non, il n'y réfléchit pas.

2. Oui, j'y pense souvent. Non, je n'y pense jamais.

3. Oui, j'y répondrai. Non, je n'y répondrai pas.

4. Oui, ils y désobéissent toujours. Non, ils n'y désobéissent jamais (pas toujours).

5. Oui, elles y jouent chaque semaine. Non, elles n'y jouent pas chaque semaine.

B/

1. Oui, j'y suis allé(e). Non, je n'y suis pas allé(e).

2. Oui, ils y resteront longtemps. Non, ils n'y resteront pas longtemps.

3. Oui, j'y ai toujours habité. Non, je n'y ai pas toujours habité.

4. Oui, ils y sont. Non, ils n'y sont pas.

5. Il y a vécu six ans.

6

A/

1. Oui, j'en manque. Non, je n'en manque pas.

2. Oui, j'en ai changé. Non, je n'en ai pas changé.

3. Oui, elle en joue bien. Non, elle n'en joue pas bien.

4. Oui, j'en ai besoin. Non, je n'en ai pas besoin.

5. Oui, j'en suis triste. Non, je n'en suis pas triste.

B/

1. Oui, j'en descendrai au prochain arrêt. Non, je n'en descendrai pas …

2. Oui, il en est déjà sorti. Non, il n'en est pas encore sorti.

3. Oui, elle en est proche. Non, elle n'en est pas proche.

4. Oui, il en est rentré. Non, il n'en est pas rentré.

5. Oui, j'en viens. Non, je n'en viens pas.

7

A/

1. Ouvre-la ! Ne l'ouvre pas !

2. Répète-le ! Ne le répète pas !

3. Éteignez-les ! Ne les éteignez pas !

4. Cherche-la ! Ne la cherche pas !

5. Suivez-le ! Ne le suivez pas !

6. Jetez-les ! Ne les jetez pas !

B/

1. Téléphonez-lui ! Ne lui téléphonez pas !

2. Écris-leur ! Ne leur écris pas !

3. Réponds-lui ! Ne lui réponds pas !

4. Souriez-lui ! Ne lui souriez pas !

5. Obéis-lui ! Ne lui obéis pas !

6. Parlez-leur ! Ne leur parlez pas !

C/

1. Achètes-en ! N'en achète pas ! **2.** Offres-en ! N'en offre pas ! **3.** Prenez-en ! N'en prenez pas ! **4.** Changes-en ! N'en change pas ! **5.** Sors-en ! N'en sors pas ! **6.** Cueilles-en ! N'en cueille pas !

D/

1. Joues-y ! N'y joue pas ! **2.** Réfléchissez-y ! N'y réfléchissez pas ! **3.** Restes-y ! N'y reste pas ! **4.** Vas-y ! N'y va pas ! **5.** Allons-y ! N'y allons pas ! **6.** Retournes-y ! N'y retourne pas !

8

1. Oui, je le prends. Non, je ne le prends pas.
Oui, j'en prends un. Non, je n'en prends pas.

2. Oui, je l'ai bu. Non, je ne l'ai pas bu.
Oui, j'en ai bu. Non, je n'en ai pas bu.

3. Oui, ils les ont réservés. Non, ils ne les ont pas réservés.
Oui, ils en ont réservé. Non, ils n'en ont pas réservé.

4. Oui, je les verrai. Non, je ne les verrai pas.
Oui, j'en verrai beaucoup. Non, je n'en verrai pas beaucoup.

5. Oui, je l'ai envoyée. Non, je ne l'ai pas envoyée.
Oui, j'en ai envoyé une. Non, je n'en ai pas envoyé.

6. Oui, ils les ont visités. Non, ils ne les ont pas visités.
Oui, ils en ont visité plusieurs. Non, ils n'en ont visité aucun.

9

1. Tu l'aimes beaucoup. **2.** Tu lui téléphones. **3.** Vous leur écrivez. **4.** Vous les remerciez. **5.** Ils la rencontrent. **6.** Ils lui disent bonjour. **7.** Ils l'embrassent. **8.** Nous les avons invités. **9.** Je leur ai demandé de venir. **10.** Nous les attendons.

10

1. Oui, je lui répondrai. Non je ne lui répondrai pas.
2. Oui, j'y ai répondu. Non, je n'y ai pas répondu.
3. Oui, j'y ai assisté. Non, je n'y ai pas assisté.
4. Oui, il lui appartient. Non, il ne lui appartient pas.
5. Oui, ils leur feront plaisir. Non, ils ne leur feront pas plaisir.
6. Oui, il y a touché. Non, il n'y a pas touché.
7. Oui, ils lui ressemblent. Non, ils ne lui ressemblent pas.
8. Oui, elle leur manque. Non, elle ne leur manque pas.
9. Oui, j'y ai pensé. Non, je n'y ai pas pensé.
10. Oui, je pense à elle. Non, je ne pense pas à elle.

11

1. Oui, j'en suis content. Non, je n'en suis pas content.
2. Oui, ils en sont revenus. Non, ils n'en sont pas revenus.
3. Oui, elle y est arrivée facilement. Non, elle n'y est pas arrivée facilement.
4. Oui, il y a participé. Non, il n'y a pas participé.
5. Oui, j'en fais partie. Non, je n'en fais pas partie.
6. Oui, ils y sont allés. Non, ils n'y sont pas allés.
7. Oui, ils en ont peur. Non, ils n'en ont pas peur.
8. Oui, ils ont peur d'eux. Non, ils n'ont pas peur d'eux.
9. Oui, ils en ont parlé. Non, ils n'en ont pas parlé.
10. Oui, ils ont parlé d'eux. Non, ils n'ont pas parlé d'eux.

12

1. Oublie-le !
2. Changes-en !
3. Quitte-le !
4. Vas-y !
5. N'en aie pas peur !
6. Penses-y !
7. Fais-les !
8. Ne leur dis rien !
9. Téléphone-lui vite !
10. Pars avec elle !

13

A/
1. Oui, nous vous attendions. Non, nous ne vous attendions pas.
2. Oui, il me raccompagnera. Non, il ne me raccompagnera pas.
3. Oui, ils nous (me) détestent. Non, ils ne nous (me) détestent pas.
4. Oui, nous t'écoutons (je vous écoute). Non, nous ne t'écoutons pas (je ne vous écoute pas).
5. Oui, je t'aime. Non, je ne t'aime pas.
6. Oui, elle m'entend. Non, elle ne m'entend pas.

B/
1. Oui, il m'a regardé(e). Non, il ne m'a pas regardé(e).
2. Oui, vous nous avez remercié(e)s. Non, vous ne nous avez pas remercié(e)s.
3. Oui, je t'ai pris(e) en photo. Non, je ne t'ai pas pris(e) en photo.
4. Oui, nous vous avons attendu(e)s longtemps. Non, nous ne vous avons pas attendu(e)s longtemps.
5. Oui, je vous ai appelé(e) hier au téléphone. Non, je ne vous ai pas appelé(e) hier au téléphone.

14

A/
1. Oui, je t'apporte du vin. Non, je ne t'apporte rien.
2. Oui, tu me plais. Non, tu ne me plais pas.
3. Oui, nous vous répondrons. Non, nous ne vous répondrons pas.
4. Oui, elles me (nous) ressemblent. Non, elles ne me (nous) ressemblent pas.
5. Oui, elle me dit tout. Non, elle ne me dit pas tout.

B/
1. Oui, elle m'a souri. Non, elle ne m'a pas souri.
2. Oui, il nous (m') a dit merci. Non, il ne nous (m') a pas dit merci.
3. Je t'ai apporté des chocolats. Je ne t'ai rien apporté.
4. Oui, cela m'a plu. Non, cela ne m'a pas plu.
5. Elle m'a demandé l'heure. Elle ne m'a rien demandé.

15

A/

1. Oui, ils s'aiment. Non, ils ne s'aiment pas.
2. Oui, nous nous couchons tard. Non, nous ne nous couchons pas tard.
3. Oui, nous nous rencontrerons une autre fois. Non, nous ne nous rencontrerons plus.
4. Oui, tu te trompes. Non, tu ne te trompes pas.
5. Oui, je me lève toujours (aussi) tôt. Non, je ne me lève jamais (aussi) tôt.
6. Oui, ils se voient souvent. Non, ils ne se voient pas souvent.

B/

1. Oui, nous nous écrirons (demain). Non, nous ne nous écrirons jamais.
2. Oui, elles se ressemblent beaucoup. Non, elles ne se ressemblent pas.
3. Oui, nous nous disons adieu. Non, nous ne nous disons pas adieu.
4. Oui, nous nous sommes tout dit. Non, nous ne nous sommes rien dit (pas tout dit).
5. Oui, ils se sont parlé longtemps. Non, ils ne se sont pas parlé longtemps.
6. Oui, nous nous plaisons. Non, nous ne nous plaisons pas.

16

A/

1. Ne m'oublie pas !
2. Ne nous attendez pas !
3. Ne t'assieds pas !
4. Ne vous servez pas avant elle !
5. Ne te regarde pas dans la glace !
6. Ne nous éloignons pas !
7. Ne vous arrêtez pas !
8. Ne nous écrivez pas tout de suite !
9. Ne me laisse pas seul !
10. Ne me parle pas !

B/

1. Approchez-vous ! **2.** Tais-toi ! **3.** Dis-moi tout !
4. Sers-toi de ce couteau-là ! **5.** Appuie-toi là-dessus !
6. Occupez-vous de moi ! **7.** Pensez à moi !
8. Téléphone-moi avant ce soir ! **9.** Embrasse-moi !
10. Marions-nous !

17

A/

1. Oui, je le lui apporterai. Non, je ne lui apporterai pas.
2. Oui, je les lui présenterai. Non, je ne les lui présenterai pas.
3. Oui, elle les leur montrait. Non, elle ne les leur montrait pas.
4. Oui, je la lui ai souhaitée. Non, je ne la lui ai pas souhaitée.
5. Oui, nous la leur ferons. Non, nous ne la leur ferons pas.

B/

1. Oui, je vous la raconterai (nous vous la raconterons). Non, je ne vous la raconterai pas (nous ne vous la raconterons pas).
2. Oui, il me (te) la proposera. Non, il ne me(te) la proposera pas.
3. Oui, je te la donnerai. Non, je ne te la donnerai pas.
4. Je te les rapporterai mardi. Je ne te les rapporterai pas avant mardi.
5. Oui, on vous les posera. Non, on ne vous les posera pas.
6. Oui, tu me l'as annoncé. Non, tu ne me l'as pas annoncé.

C/

1. Oui, je lui en ai pris une. Non, je ne lui en ai pas pris.
2. Oui, ils m'en ont réclamé une. Non, ils ne m'en ont pas réclamé.
3. Oui, ils leur en paieront. Non, ils ne leur en paieront pas.
4. Oui, ils s'en servent encore. Non, ils ne s'en servent plus.
5. Oui, je t'en donnerai. Non, je ne t'en donnerai pas.
6. Oui, je m'en souviendrai. Non, je ne m'en souviendrai pas.

D/

1. Oui, je les y ai remises. Non, je ne les y ai pas remises.
2. Oui, je l'y ai rencontrée. Non, je ne l'y ai pas rencontrée.
3. Oui, nous nous y sommes mis. Non, nous ne nous y sommes pas mis.
4. Oui, je m'y intéresse encore. Non, je ne m'y intéresse plus.
5. Oui, vous vous y habituerez un jour. Non, vous ne vous y habituerez jamais.

18

A/

1. Portez-le-leur ! Ne le leur portez pas !
2. Donnez-les-lui ! Ne les lui donnez pas !
3. Faites-les-lui ! Ne les lui faites pas !
4. Chante-la-lui ! Ne la lui chante pas !
5. Propose-les-lui ! Ne les lui propose pas !
6. Explique-le-lui ! Ne le lui explique pas !

B/

1. Rendez-la-moi ! Ne me la rendez pas !
2. Achète-le-moi ! Ne me l'achète pas !
3. Passez-la-nous ! Ne nous la passez pas !
4. Lis-le-nous ! Ne nous le lis pas !
5. Lave-les-toi maintenant ! Ne te les lave pas maintenant !
6. Renvoie-les-moi ! Ne me les renvoie pas !

C/

1. Donnez-m'en ! Ne m'en donnez pas !
2. Parle-lui-en ! Ne lui en parle pas !
3. Sers-t'en ! Ne t'en sers pas !
4. Demandons-leur-en ! Ne leur en demandons pas !
5. Préparez-nous-en ! Ne nous en préparez pas !
6. Passez-vous-en ! Ne vous en passez pas !

D/

1. Parle-moi d'elle ! / Parle m'en !
2. Souviens-toi d'eux ! / Souviens-t'en !
3. Occupe-t'en ! / Occupe-toi d'elles !
4. Ne te moque pas de lui ! / Ne t'en moque pas !
5. Intéresse-toi à eux ! / Ne t'y intéresse pas trop !
6. Habituez-vous à lui ! / Habituez-vous-y !

19

1. Oui, il m'en a fait. Non, il ne m'en a pas fait.
   Oui, il me les a faites. Non, il ne me les a pas faites.
2. Oui, elle le leur a caché. Non, elle ne le leur a pas caché.
   Oui, elle leur en a caché un. Non, elle ne leur en a pas caché.
3. Oui, il le lui présentera. Non, il ne le lui présentera pas.
   Oui, il lui en présentera un. Non, il ne lui en présentera pas.
4. Oui, ils les leur ont données. Non, ils ne les leur ont pas données.
   Oui, ils leur en ont donné. Non, ils ne leur en ont pas donné.
5. Oui, il me l'a offerte. Non, il ne me l'a pas offerte.
   Oui, il m'en a offert une. Non, il ne m'en a pas offert.

20

A/

1. Oui, je peux la fermer. Non, je ne peux pas la fermer.
2. Oui, je dois bientôt les rendre. Non, je ne dois pas les rendre (bientôt).
3. Oui, j'arrive à les faire. Non, je n'arrive pas à les faire.
4. Oui, j'ai oublié de la prévenir. Non, je n'ai pas oublié de la prévenir.

5. Oui, j'ai commencé à en lire un. Non, je n'ai commencé à en lire aucun.
6. Oui, elle veut nous (me) voir. Non, elle ne veut pas nous (me) voir.
7. Oui, j'ai essayé de te parler. Non, je n'ai pas essayé de te parler.
8. Oui, j'aime me promener (nous aimons nous promener) ... Non, je n'aime pas me promener (nous n'aimons pas nous promener) ...
9. Oui, je veux bien le prendre. Non, je ne veux pas le prendre.
10. Oui, je vais y réfléchir. Non, je ne vais pas y réfléchir.

B/

1. Oui, je peux te le photocopier. Non, je ne peux pas te le photocopier.
2. Oui, il vient de lui en parler. Non, il ne vient pas de lui en parler.
3. Oui, tu dois les y ranger. Non, tu ne dois pas les y ranger.
4. Oui, j'apprendrai à m'en servir. Non, je n'apprendrai pas à m'en servir.
5. Oui, elle a fini de le leur servir. Non, elle n'a pas fini de le leur servir.

C/

1. Oui, nous en ferons faire. Non, nous n'en ferons pas faire.
2. Oui, on les laisse entrer ici. Non, on ne les laisse pas entrer ici.
3. Oui, elle l'a laissé jouer dehors. Non, elle ne l'a pas laissé jouer dehors.
4. Oui, elle les fait travailler. Non, elle ne les fait pas travailler.
5. Oui, ils l'ont laissé parler. Non, ils ne l'ont pas laissé parler.

21

1. Oui, je commence à les connaître. Non, je ne commence pas à les connaître.
2. Oui, je veux bien la répéter. Non, je ne veux pas la répéter.
3. Oui, il a refusé de nous servir. Non, il n'a pas refusé de nous servir.
4. Oui, ils en feront venir d'Israël. Non, ils n'en feront pas venir d'Israël.
5. Oui, je suis arrivé à m'en servir. Non, je ne suis pas arrivé à m'en servir.
6. Oui, j'ai pensé à lui téléphoner. Non, je n'ai pas pensé à lui téléphoner.
7. Oui, je dois (nous devons) y assister. Non, je ne dois pas (nous ne devons pas) y assister.
8. Oui, je vais me les laver. Non, je ne vais pas me les laver.

9. Oui, je peux les y emmener. Non, je ne peux pas les y emmener.

10. Oui, je les laisserai partir. Non, je ne les laisserai pas partir.

22

A/

1. Va les poster ! Ne va pas les poster !
2. Allez leur téléphoner ! N'allez pas leur téléphoner !
3. Acceptez de le faire ! N'acceptez pas de le faire !
4. Refusez d'y aller ! Ne refusez pas d'y aller !
5. Arrête d'en dire ! N'arrête pas d'en dire !
6. Essaie de lui dire ça ! N'essaie pas de lui dire ça !

B/

1. Faites-les entrer ! Ne les faites pas entrer !
2. Faites-le repeindre ! Ne le faites pas repeindre !
3. Fais-le rire ! Ne le fais pas rire !
4. Laisse-les parler ! Ne les laisse pas parler !
5. Laissez-les sortir ! Ne les laissez pas sortir !
6. Laisse-le courir ! Ne le laisse pas courir !

23

1. l'
2. lui
3. t'y
4. en
5. leur
6. la lui
7. t'en
8. t'en
9. te l'
10. lui en.

24

– ... asseyez-vous. Que puis-je faire pour vous ?

– ... je ne mange plus, je ne dors plus, je vous en prie, aidez-moi !

– ... installez-vous ici (il lui montre ...) ! Allongez-vous, ... racontez-moi tout !

– ... mon mari ne me regarde plus, il ne me voit plus. Je lui parle, il ne m'écoute pas, je l'interroge, il ne me répond pas.

... il l'oublie .... Il ne m'en fait aucun. Nous n'y allons jamais. ...Nous n'en recevons plus. Nous n'en faisons pas. ... je vous en supplie, conseillez-moi ! Dites-moi : que dois-je faire ? Que dois-je lui dire ? Je l'aime encore, mais bientôt, je vais le détester.

CHAPITRE 20

Les participes

1

A/

1. Tu regardes cette fille en rougissant.
2. en descendant les escaliers.
3. en prenant ma douche.
4. en courant.
5. en voyant son mari...
6. en conduisant...
7. en faisant un effort.
8. en repeignant sa chambre.
9. en voulant faire un régime.
10. en la mettant dans la serrure.

B/

1. Je gagne ma vie en travaillant.
2. en doublant un camion.
3. en faisant un régime.
4. en cherchant dans les petites annonces.
5. en tombant dans l'escalier.
6. en courant sur le trottoir.

2

1. arrivé, partie. 2. revenu, repartie. 3. parti, restée.
4. entrés, sorties. 5. montés, descendues. 6. né, morte.

3

A/

1. reçu, reçue. 2. lu, lus. 3. pris, prises. 4. rangé, rangées. 5. vu, vu.

B/

1. as téléphoné, je n'y ai pas pensé.
2. t'a dit ? elle ne m'a rien dit.
3. ont écrit ? nous ne leur avons jamais répondu.
4. t'a demandé ? on ne m'a posé aucune question.
5. Y as-tu réfléchi ? je n'y ai pas fait attention.

4

A/

1. assisté, entendue
2. vus.
3. ouvertes, jetées.
4. aimée, dit
5. racontée, parlé à personne.

B/

1. vécu, restée 2. venu(e)(s), allé(e)s, pris. 3. emporté, choisi, laissées. 4. devenues, mortes, quitté
5. posées, répondu.

5

A/
1. aimés, quittés
2. couché(e)(s), endormi(e)(s)
3. croisées, reconnues
4. maquillée, rasé
5. amusé(e)(s), perdu(e)(s).

B/
1. Est-ce que vous vous êtes téléphoné ? Oui, nous nous sommes téléphoné trois fois la semaine dernière.
2. Est-ce qu'elles se sont écrit ? Oui, elles se sont écrit plusieurs lettres.
3. Est-ce qu'elles se sont répondu ? Oui, elles se sont répondu poliment.
4. Est-ce qu'ils se sont donné rendez-vous ? Oui, ils se sont donné rendez-vous aujourd'hui à onze heures.
5. Est-ce qu'ils se sont parlé ? Oui, ils se sont parlé longuement.

6. Est-ce qu'ils se sont plu ? Oui, ils se sont plu tout de suite.

C/
1. changés/ changé les idées 2. partagé/ se sont partagés 3. lavée/ lavé les mains ? 4. lancé le ballon/ se sont lancés 5. jeté(e)/ jeté des insultes.

6

Cyril m'a vue, Il m'a appelée, il m'a parlé, il m'a raconté sa vie. Puis il m'a quittée. Il m'a téléphoné, il m'a donné rendez-vous. Il m'a proposé une soirée. Il m'a regardée, il m'a interrogée, il m'a écoutée, il m'a demandé comment je vivais. Il m'a dit. Il m'a promis. Nous nous sommes donné nos numéros, nous nous sommes revus.
Un jour, nous nous sommes promis. Comment cette histoire s'est-elle terminée ? nous nous sommes mariés, nous nous sommes aimés.

CHAPITRE 21

Le plus-que-parfait de l'indicatif

1

A/
1. J'avais été
2. Tu avais eu
3. Tu avais été
4. avait eu
5. avait été.
6. J'avais eu

B/
1. Il avait été
2. elle n'avait pas encore défait, elle avait vu
3. avait déjà peint, il n'avait pas encore réalisé.

2

A/
1. nous étions allés, nous en étions repartis
2. tu étais venu(e), tu étais rentré(e)
3. elle était entrée, elle était restée.

B/
1. s'étaient rencontrées, s'étaient combattues
2. tu t'étais mis(e), tu t'étais fait
3. je ne m'étais pas encore servi, je m'étais bien préparé(e).

3

A/
1. Ils avaient sorti, avaient roulé, avaient suivi, ne s'étaient pas trompés, étaient arrivés 2. j'étais parti(e), nous nous étions baignés, nous avions pique-niqué, nous avions passé, nous étions allés danser...

B/
1. Nous avions marché, nous avons bien dormi. 2. s'est arrêtée, s'étaient mis 3. Elle avait déjà dîné, n'a pas voulu 4. on a condamné, ils avaient volé 5. je lui ai amené, je l'avais prévenu(e).

C/
1. ils habitaient, ils avaient vécu 2. Il jouait très bien, il avait pris 3. Nous avions faim, nous n'avions rien mangé 4. J'étais, j'avais obtenu 5.ils s'aimaient, ils ne se l'étaient pas encore dit.

4

Je ne trouvais plus, je ne savais plus où je l'avais mis. j'ai ouvert, j'ai tout mis, il ne se trouvait nulle part. J'étais désespéré. je l'avais donc rangé ?
je m'en suis souvenu, je l'avais caché. je me suis précipité. Il était bien là !
Je l'y avais placé, je l'avais complètement oublié.

CHAPITRE 22

Les prépositions

1

1. à l'université
2. à la boulangerie, dans la boulangerie
3. dans ma poche
4. à la campagne, dans la forêt
5. à la maison, dans leur chambre.

2

A/

1. en France, à Paris, dans le cinquième arrondissement.
2. en Suisse, à Genève, dans la vieille ville.
3. en Angleterre, à Londres, dans un beau quartier.
4. en Espagne, à Séville, dans le sud du pays.
5. en Bourgogne, à Dijon, dans une jolie région.

B/

1. au Mexique, à Acapulco, en ville ?
2. au Portugal, à Lisbonne, en banlieue.
3. au Kenya, à Nairobi, en ville.
4. au Danemark, à Elseneur, en province ?
5. au Japon, à Tokyo, en banlieue.

3

A/

1. au Brésil. 2. en Chine. 3. en Égypte. 4. en Grèce.

B/

5. à Sao Paulo. 6. à Pékin. 7. au Caire. 8. à Athènes.

C/

1. en Crète ? 2. à Malte ? 3. à Madagascar ? 4. en Sardaigne ? 5. à Java ? 6. aux Maldive ?

4

1. d'Autriche ? 2. de Bali ? 3. du Pakistan ? 4. des Açores ? 5. du Vénézuéla ? 6. de Copenhague ? 7. de Roumanie ? 8. de Calcutta ? 9. de Californie ?

5

1. par Rome, de Florence à Naples.
2. au port, vers le large.
3. de la gare, à droite, à gauche ... jusqu'à la grille.
4. jusqu'à la frontière ...
5. d'un côté à l'autre ...

6

A/

1. Il a posé son chapeau sur la table.
2. Nous avons rendez-vous au café de la Paix.
3. Il achètera des médicaments chez le pharmacien.
4. Le petit Pierre s'est caché derrière les rideaux.
5. La montagne est belle sous le ciel étoilé.
6. Ce camping se trouvait entre l'autoroute et la plage.

B/

1. Une fontaine se trouve au milieu de la place.
2. La minijupe est au-dessus du genou.
3. La terre tourne autour du soleil.
4. Il est parti : il voulait vivre loin de sa famille.
5. Nice est près de la frontière italienne.
6. Au cinéma, les spectateurs sont en face de l'écran.
7. On a découvert du pétrole au fond de la mer.
8. Viens t'asseoir à côté de moi !
9. Il faisait froid : il faisait quinze degrés au-dessous de zéro.
10. Il y a beaucoup de vignes aux environs de Bordeaux.

7

A/

1. à minuit 2. de dix heures à dix-huit heures.
3. du matin au soir ? 4. à midi 5. du début à la fin

B/

1. depuis 2. pendant 3. Pendant 4. Depuis 5. Depuis

C/

1. pour 2. pendant 3. pendant 4. pour 5. pendant

D/

1. dans 2. en 3. dans 4. Dans 5. en

E/

1. dans 2. il y a 3. Dans 4. Il y a 5. Il y a, dans.

8

A/

1. pendant deux heures.
2. de dix heures... à neuf heures.
3. Depuis quelques jours.
4. en quatre-vingts jours.
5. pour deux ans.
6. à huit heures.
7. dans trois ans.

8. Depuis plusieurs jours
9. en trois minutes.
10. dans un quart d'heure.

B/
1. pour cinq ans.
2. dans quelques minutes.
3. pendant toute la soirée.
4. il y a trois mois.
5. depuis plusieurs semaines.

9

A/
1. À cause du brouillard, avec du retard.
2. ni en voiture ni en train. en bus, à cheval ou à pied.
3. sans moi.
4. contre
5. sur la plage, au soleil sur le sable.
6. en couleurs, en noir et blanc.
7. par
8. un sur deux
9. à l'endroit ou à l'envers ?
10. vingt pour cent

B/
1. Nous avons voté contre ce candidat.
2. La moto est arrêtée sur le trottoir.
3. Il a fait ce voyage en hélicoptère.
4. Elle vient voir sa sœur une fois par semaine.
5. Il travaille à l'hôpital une nuit sur deux.
6. J'accepte ton invitation avec plaisir.

10

A/
1. de   **2.** à   **3.** de   **4.** de
5. du service   **6.** aux enfants

B/
1. à   **2.** de   **3.** à   **4.** de.

11.

1. en train de chanter.
2. à danser.
3. faire du bruit.
4. à faire.
5. de comprendre.
6. de dîner.
7. de partir.
8. à finir ce travail.
9. de marcher longtemps.
10. à coudre.

12

A/
1. par exemple
2. par hasard
3. En ce moment
4. d'habitude
5. À mon avis
6. à ce moment-là
7. en même temps.
8. En général
9. de bonne heure.
10. à l'heure ?

B/
A = 4   **B** = 2   **C** = 3   **D** = 1   **E** = 5

Les comparaisons

1

A/
1. plus grand que 2. plus claire que 3. plus typique que 4. plus difficile qu'à onze heures.

B/
1. moins prudent que moi. 2. moins jolie que sa sœur. 3. moins beau ici que là-bas. 4. moins agréable que le vôtre.

C/
1. aussi intelligente que son frère ?
2. aussi noirs que les tiens.
3. aussi froide que celle d'un lac de montagne.
4. n'est pas aussi beau que toi.

D/
1. plus longtemps à Nice qu'à Marseille.
2. aussi bien que ta sœur ?
3. moins vite que la plupart des Français.
4. plus rarement au cinéma que toi.
5. l'allemand aussi facilement que le russe.

2

A/
1. moins riches que d'autres.
2. plus longtemps que leurs parents.
3. aussi bien que toi.
4. plus intéressant que celui-là.
5. aussi jaloux que Peter.
6. moins fatiguée que toi.

B/
1. Un homme est aussi fragile qu'une femme.
2. Un tigre est plus sauvage qu'un chat.
3. Dallas est plus moderne que Venise.
4. Le Brésil est plus vaste que le Japon.

3

1. plus d'énergie que toi.
2. autant de travail que l'année dernière.
3. moins d'argent ... qu'à Paris.
4. un peu plus d'habitants ici que dans l'autre village.
5. beaucoup moins de chance que vous.
6. autant de langues que lui.
7. un peu moins de musique qu'avant.
8. beaucoup plus de gens que son patron.

4

A/
1. Ton idée me paraît (bien) meilleure que la mienne.
2. La saison touristique a été (bien) meilleure cette année que l'année dernière.
3. Est-ce qu'aujourd'hui, il a fait un (bien) meilleur match qu'hier ?
4. Cette recette est (bien) meilleure que la vôtre.
5. Le vin français est (bien) meilleur que la bière française.

B/
1. Ce chef cuisine (bien) mieux que l'autre.
2. Vous connaissez (bien) mieux la Norvège que la France.
3. Cet écrivain écrit (bien) mieux que celui-là.
4. Je vois (bien) mieux avec mes lentilles ... qu'avec mes lunettes.
5. Il réussit (bien) mieux dans les affaires que dans la chanson.

5

A/
1. Cette femme peint bien, c'est un bon peintre.
2. Nous avons fait un bon repas, nous avons bien mangé.
3. Les enfants aiment bien les frites C'est bon !
4. C'est sûrement un bon métier, mais est-ce qu'on gagne bien sa vie ?
5. C'est une bonne affaire. Tu as bien fait d'acheter cette lampe.

B/
1. mieux, meilleur
2. meilleur, mieux
3. meilleur, mieux
4. meilleure, mieux
5. meilleur, mieux.

6

A/
1. plus il grossit.
2. moins on en dépense.
3. moins je te comprends.
4. plus tu l'aimes.

B/

1. Il travaille de plus en plus, il est de plus en plus occupé.
2. Je voyage de moins en moins, je suis de moins en moins absent.
3. Il fait de plus en plus de progrès, il a de moins en moins de difficultés.
4. Tu es de plus en plus sage, tu fais de moins en moins de bêtises.

7

A/

1. Je fais les mêmes études que l'année dernière.
2. Mon train arrive à la même heure que le tien.
3. Nous allons dans le même restaurant que vous.
4. J'ai le même âge que toi.
5. Il travaille pour la même société que sa femme.

B/

1. simple comme bonjour.
2. beau comme un dieu, bête comme ses pieds.
3. jolie comme un cœur, jalouse comme une tigresse.
4. faux comme une casserole.
5. blonds comme les blés.

8

A/

1. C'est le plus compétent, c'est l'ingénieur le plus compétent (de tous).
2. C'est la plus polluée, c'est la ville la plus polluée (de toutes).
3. C'est le plus connu, c'est l'homme politique le plus connu (de tous).
4. C'est la plus populaire, c'est l'émission la plus populaire (de toutes).
5. C'est la plus bruyante, c'est la rue la plus bruyante (de toutes).

B/

1. Augustin est le plus heureux des hommes.
2. Cette histoire est la plus étonnante du livre.
3. dans le restaurant le plus cher de la ville.
4. la visite la plus intéressante du voyage.
5. la gardienne la plus bavarde du quartier.

CHAPITRE 24

L'enchaînement de deux phrases simples

1

1. et s'est fait mal au genou.
2. mais il n'y avait plus de place dans ce cinéma.
3. mais je n'ai pas eu le temps de le faire.
4. ou ils sont allés à la campagne.
5. ou travailler ?
6. donc tu n'as plus faim.
7. donc vous êtes souvent fatigué.
8. car il commence à faire froid.
9. car j'ai sommeil.
10. mais il est paresseux.

2

A/

et ... . mais ... car ... . Michael ou un autre homme ?
Ce n'était donc...

B/

1. Ils sont très pressés mais ils ne se dépêchent pas.
2. Elle adore le jazz donc elle en écoute tout le temps.
3. Nous ouvrons la fenêtre car il fait très chaud.
4. Ils ont beaucoup d'argent mais ils en dépensent peu.

5. Elle ne voit pas très bien donc elle porte des lunettes.
6. Resterez-vous ici ou déménagerez-vous ?
7. Il est sorti et s'est mis à courir.
8. Ils prennent l'apéritif et ils bavardent.
9. Il a du succès car il a beaucoup de talent.
10. Est-ce que tu préfères dessiner ou peindre ?

3

A/
Pourtant.... Alors.... d'une part..., d'autre part..., aussi...

B/
Soudain... Pourtant... En effet, car... donc... Alors...

4

A/
1 = B   **2** = D   **3** = A   **4** = C

B/
1 = B   **2** = D   **3** = C   **4** = A

CHAPITRE 25

Les pronoms relatifs

1

A/
1. une valise qui pèse 2. la machine à laver qui ne marche plus 3. une voiture qui n'est pas à vous 4. quelqu'un qui sonne 5. un travail qui ne m'intéresse pas.

B/
1. Le garçon qui sourit est mon fils 2. Le bébé qui pleure 3. Les voitures qui circulent 4. L'actrice qui est sur la scène 5. Les gens qui fument...

2

A/
1. aux questions qu'on lui pose 2. la réponse que j'attendais 3. à ce voyage que nous ferons bientôt 4. une région que j'aime 5. une grande ville que je ne connais pas très bien.

B/
1. La fille qu'ils regardent 2. Les fleurs que vous cueillez 3. la lettre que tu écris 4. l'actrice que tu préfères 5. L'homme que nous venons de rencontrer...

C/
1. la lettre que tu as reçue 2. les disques que je vous ai prêtés 3. les photos que nous avons prises 4. La montre que je lui ai offerte 5. des gens que je n'ai jamais vus, que je n'ai jamais rencontrés.

3

1. ce vin qui n'est pas bon. / un vin que vous n'aimez pas beaucoup. 2. une histoire que tu vas raconter / une histoire qui est fantastique. 3. des poèmes qui sont très beaux. / que nous trouvons très beaux. 4. des cerises qui sont délicieuses. / des cerises qu'ils mangent avec plaisir. 5. une lettre qui est ... / une lettre que je mettrai...

4

1. qui était ici ? 2. que tu viens de lire ? 3. qui est 4. que j'admire. 5. que j'ai trouvé 6. qui est 7. que je suis ... et qui m'intéressent 8. qui plaît ... et qu'il aime beaucoup...

5

A/
1. une société dont le directeur est jeune.
2. un jeune homme dont j'ai oublié le nom.

3. ton père dont les conseils sont souvent bons.
4. une direction dont nous ne sommes pas très sûrs.
5. un bon résultat dont je suis satisfait.
6. de jeunes sportifs dont je m'occupe.
7. ce reportagre dont on a beaucoup parlé.
8. plusieurs médicaments dont j'ai besoin.

B/
1. un copain dont le père a un grand bateau. 2. un peintre connu dont les tableaux se vendent très cher. 3. un gâteau au chocolat dont le goût est amer.

C/
1. ce club de tennis dont il faisait partie. 2. un ordinateur dont nous sommes très contents. 3. une soirée extraordinaire dont ils se souviendront toujours.

6

1. dont j'ai besoin. 2. que j'utilise tout le temps. 3. que tu nous as servi 4. dont je me sers 5. que nous apercevons 6. une bêtise dont je me suis aperçu 7. L'enfant dont elle s'occupe 8. L'enfant qu'elle garde 9. Le bruit que vous entendez 10. un animal dont nous n'avons pas peur.

7

A/
1. une île où leurs amis ont une petite maison.
2. à Marseille où je ne connais personne.
3. Dans la rue où je fais mes courses.
4. Le quartier où vous habitez est très agréable.
5. dans le village où je suis née.

B/
1. à l'instant où ils arrivaient.
2. l'année où son fils est né.
3. le moment où il t'a dit « je t'aime ».
4. à l'heure où nous sortons
5. un jour où il pleuvait.

C/
1. leur terrasse d'où ils ont une très belle vue.
2. le musée d'où ils sortent.
3. un grand balcon d'où nous verrons le feu d'artifice.

8

A/
1. la raison pour laquelle 2. l'avenue dans laquelle 3. tes billets sans lesquels 4. L'arbre sous lequel 5. Les routes par lesquelles...

B/

1. un climat auquel nous nous habituons **2.** dans une tour près de laquelle il y a **3.** des tableaux auxquels je m'intéresse **4.** Le parking à côté duquel se trouve **5.** Les sculptures en face desquelles vous êtes assis...

C/

1. Julien avec qui (avec lequel) **2.** les personnes chez qui (chez lesquelles) **3.** Les copains à qui (auxquels) **4.** Le candidat pour qui (pour lequel) **5.** un joueur contre qui (contre lequel) ...

D/

1. Charlotte avec qui (avec laquelle) **2.** une bicyclette avec laquelle **3.** L'aventure à laquelle **4.** La jeune fille à qui (à laquelle) **5.** un pays pour lequel **6.** un homme pour qui (pour lequel) **7.** le lac autour duquel **8.** des arbres à côté desquels

9

1. que **2.** où **3.** que **4.** qui **5.** sans lequel **6.** dont **7.** auxquels **8.** dont **9.** duquel **10.** où

10

A/

1. C'est Martine qui a préparé le dîner. **2.** C'est Maurice Ravel qui a composé le Boléro. **3.** C'est ce mot que j'emploie souvent. **4.** C'est Marcel Proust qui a écrit *À la Recherche du Temps perdu*. **5.** Est-ce que c'est ce livre que vous préférez ?

B/

1. C'est le bébé qui pleure. **2.** C'est toi que je regarde. **3.** C'est la radio que j'écoute. **4.** Ce sont les voisins qui font du bruit. **5.** C'est la machine à laver qui fait ce bruit.

C/

1. C'est un homme qui fait les plans des bâtiments.
2. C'est un oiseau qui parle.
3. C'est un poisson qui est intelligent.
4. C'est un arbre fruitier qui donne des oranges.
5. C'est une femme qui chante des airs d'opéra.

D/

1. C'est moi qui vais faire, c'est toi qui vas faire
2. C'est lui qui dirige, ce sont eux qui jouent
3. C'est nous qui appelons, c'est vous qui le payez
4. c'est elle qui réfléchit et c'est lui qui agit
5. C'est toi et moi qui devons ...

11

A/

1. celui qui **2.** celle où **3.** ceux que **4.** celui dont **5.** celles avec qui (avec lesquelles)...

B/

1. ce que **2.** ce dont **3.** ce qui **4.** ce qu'il **5.** ce qui **6.** ce dont **7.** ce que **8.** ce que **9.** ce dont **10.** ce qui

C/

1. ce que **2.** ce dont **3.** ceux qui **4.** ceux dont **5.** ceux que **6.** ce qui

12

A/

... ces gens que tu détestes aussi, qui mentent, dont tu me parles toujours, à qui tu dois téléphoner.

B/

... une chanteuse dont la voix est superbe, que nous admirons, qui a beaucoup de succès, pour qui (pour laquelle) j'ai de l'admiration.

C/

... ces disques que je veux écouter, dont j'ai envie, qui me plaisent, auxquels je m'intéresse.

D/

... le musée d'Orsay qui est à Paris, que je vais visiter, où je veux aller, dont on m'a beaucoup parlé.

13

1. ce qui est arrivé. **2.** dont elle se sert tout le temps. **3.** à qui je dois de l'argent. **4.** village où nous passons toutes nos vacances. **5.** en face duquel il y a la poste. **6.** ce dont tu parles. **7.** toi qui m'as envoyé cette lettre ? **8.** de ce que tu as dit. **9.** chez qui on fait souvent des fêtes. **10.** auxquelles je ne peux pas répondre.

14

... qui ... que ... où elle vit. On sait ... qui ... et dont les idées ...
l'escalier qui ... où ... dont ... les aventures qu'elle ... à côté desquelles...

15

... l'hiver pendant lequel ... . Ce dont ..., ce dont ...

Il va jusqu'à la gare où ... un billet qu'il composte ... qui doit partir ... qu'ils ont réservées.

un contrôleur qui ... sur laquelle ... avec lequel il voyage.

Par une fenêtre qui ... une femme à qui (à laquelle) ..., un vieil homme que ... et des couples qui ... il se demande ce qui ...

CHAPITRE 26

Le conditionnel et la condition

1

A/

1. je bâtirais **2.** tu monterais **3.** On prendrait **4.** Nous vivrions **5.** vous devriez

B/

1. je préférerais, je serais
2. Tu aurais, tu serais
3. Ta mère appellerait, je te ferais
4. Tu irais, ils pourraient
5. tu reviendrais, on s'amuserait bien.

2

1. J'aimerais
2. Il voudrait
3. tu souhaiterais
4. J'aimerais bien
5. Nous voudrions bien, ils voudraient...

3

1. serait **2.** vaudrait, daterait **3.** ce serait, polluerait **4.** reviendraient **5.** arriverait...

4

1. Je voudrais parler
2. vous pourriez m'indiquer
3. Accepteriez-vous
4. Auriez-vous
5. Je désirerais avoir

5

A/

1. feriez mieux
2. vaudrait
3. faudrait, devrais
4. devrait, serait
5. faudrait

B/

1. Tu devrais boire moins.
2. Il vaudrait mieux travailler plus.
3. Tu ferais mieux d'écrire.
4. Tu devrais ralentir.
5. Il vaudrait mieux arriver à l'heure.
6. Tu ferais mieux de prendre moins de médicaments.

6

A/

Bruno racontait
1. qu'il irait vivre
2. qu'il travaillerait
3. qu'il serait
4. qu'il vivrait
5. qu'il aurait...

B/

1. Ils pensaient qu'il faudrait
2. On a annoncé que ... ne courrait pas
3. Il croyait qu'un jour suffirait
4. J'espérais qu'on ne s'apercevrait pas
5. Nous étions sûrs que vous apprendriez vite

7

A/

1. Il aurait mieux aimé faire
2. Vous auriez pu gagner
3. Nous serions allés nous baigner
4. Tu aurais préféré vivre
5. Ils seraient volontiers restés

8

1. On aurait volé, se serait sauvé
2. Il se serait fâché, serait sorti
3. aurait paru, se serait bien vendu
4. se serait trouvée, serait resté caché
5. aurait baissé, aurait repris

9

A/

1. Si tu m'écris
2. S'ils arrivent
3. Si nous nous dépêchons
4. vous m'enverrez
5. je te téléphonerai
6. je le lui rendrai

B/

1. S'il y avait
2. Si nous le pouvions
3. si vous déménagiez ?
4. elle n'aurait pas sommeil
5. Je te comprendrais
6. on serait plus heureux ?

C/

1. Si vous aviez entendu **2.** Si je n'avais pas fait **3.** si personne n'avait prévenu **4.** Je n'aurais pas lu **5.** serait venu **6.** je l'aurais reconnue.

10

A/

1. Si personne ne m'attend, je prendrai un taxi.

2. Si je ne trouve pas d'appartement, je louerai une chambre à l'hôtel.

3. Si mes parents ne m'aident plus, je me débrouillerai seul(e).

4. Si je n'ai plus d'argent, j'en gagnerai.

5. Si je n'aime plus mon travail, j'en chercherai un autre.

B/

1. S'il gagnait au Loto, il achèterait un bateau.

2. S'il se cassait une jambe, il apprendrait à jouer aux échecs.

3. Si on lui offrait un voyage, il partirait tout de suite.

4. Si Charlotte ne l'aimait plus, il la quitterait.

5. S'il perdait ses papiers, il irait au commissariat.

C/

1. Si quelqu'un m'avait proposé de le faire, j'aurais accepté.

2. Si je l'avais été, j'aurais adopté des enfants.

3. Si nous nous y étions perdus, nous aurions marché longtemps.

4. Si vous étiez partis sans m'attendre, je vous aurais rejoints plus tard.

5. Si je l'étais devenu, j'aurais changé le système des impôts.

11

A/

Je prendrais, monterais, partirais. Je rencontrerais, verrais, dormirais, me nourrirais, travaillerais, aurais, serais...

B/

J'aurais pris, serais monté(e), serais parti(e). J'aurais rencontré, aurais vu, aurais dormi, me serais nourri(e), aurais travaillé, aurais toujours eu, aurais été...

12

B/

1. on t'enverrait ... Tu devrais, on t'accueillerait, il faudrait, tu pourrais, tu vivrais

2. on t'aurait envoyé ... Tu aurais dû, on t'aurait parfois très mal accueilli, il aurait fallu suivre, tu aurais pu, tu aurais vécu...

CHAPITRE 27

Les propositions complétives à l'indicatif et au subjonctif

1

A/
1. viendra 2. va venir 3. se sent 4. vient de partir 5. faisait 6. est restée

B/
1. viendrait 2. allait venir 3. se sentait 4. venait de partir 5. faisait 6. était restée

C/
1. pourra 2. va faire 3. est 4. vient de finir 5. faisait 6. a fini

D/
1. pourrait 2. allait faire 3. était 4. venait de finir 5. faisait 6. avait fini

2

A/
1. tu allais réussir
2. seraient
3. je ne connaissais rien
4. allait partir
5. elles avaient eu
6. il allait mieux
7. ils reviendraient
8. il était
9. il y avait
10. il n'était pas
11. viendraient
12. il venait de
13. était déjà passé
14. c'était
15. il ne t'écoutait pas
16. je n'irais plus
17. venait de naître
18. elle vous avait donné
19. tu avais compris
20. elle nous aiderait.

B/
1. était
2. serait
3. j'avais été
4. venait de fermer
5. vous pourriez comprendre...

3

A/
1. que tu es pessimiste.
2. nous irons au concert demain.
3. la vie est dure.
4. c'est faux.
5. qu'il viendra me voir en France.
6. le candidat a trois minutes pour répondre.
7. tu es satisfait de ce résultat.
8. je t'écrirai.
9. que nous devons sortir ?
10. le temps va changer.

B/
1. il reviendrait bientôt.
2. nous ne savions rien.
3. qu'il était déjà parti ?
4. elles ne pourraient pas venir.
5. l'addition était fausse.
6. qu'elle n'avait pas encore payé.
7. tu m'écrirais.
8. elles ne voulaient pas nager.
9. son père n'était pas méchant.
10. vous dormiriez plus longtemps.

4

A/
je parle, tu parles, il parle, nous parlions, vous parliez, ils parlent.
1. tu penses
2. vous étudiiez
3. nous travaillions
4. avancent
5. il se prépare

B/
1. réfléchissent, tu y réfléchisses
2. agissent, il agisse
3. choisissent, vous choisissiez
4. réussissent, nous réussissions
5. ralentissent, elles ralentissent.

C/
1. dorment, tu dormes
2. servent, vous serviez
3. sortent, je sorte
4. partent, nous partions
5. se sentent, elles se sentent
6. ouvrent, j'ouvre
7. offrent, tu lui offres
8. cueillent, vous cueilliez
9. lisent, nous lisions
10. disent, tu nous dises
11. conduisent, vous conduisiez
12. plaisent, tu lui plaises
13. vivent, ils vivent
14. suivent, vous suiviez
15. se mettent, elles se mettent
16. connaissent, tu connaisses
17. répondent, tu répondes
18. perdent, je perde
19. attendent, nous attendions
20. repeignent, vous repeigniez.

5

A/

Être : je sois, tu sois, il soit actif,
nous soyons, vous soyez, ils soient actifs.

Avoir : j'aie, tu aies, il ait un but.
nous ayons, vous ayez, ils aient un but.

B/

1. j'aille, nous allions
2. je fasse, vous fassiez
3. elle puisse, nous puissions
4. tu saches, nous sachions
5. elle veuille, vous vouliez
6. il pleuve
7. je prenne, vous preniez
8. tu le croies, vous le croyiez
9. je voie, nous voyions
10. je reçoive, vous receviez
11. tu viennes, vous veniez
12. je tienne, nous tenions

6

A/

1. comprennes, revoies, suive 2. répondes 3. allions
4. veuilles 5. courent 6. fumes 7. boive 8. tu l'embrasses, vous veniez, il dorme, tu me vendes 9. partent 10. se taise, continue 11. gagne, perde 12. reveniez 13. soit 14. n'ait plus peur 15. puisse

B/

1. nous fassions 2. vous vous occupiez 3. naisse
4. il ne pleuve plus 5. mente 6. tu te serves 7. fonde
8. se battent 9. vous ne lisiez rien 10. m'écriviez, vous pensiez.

C/

1. tu prennes
2. vous connaissiez
3. sache
4. tu veuilles
5. je revienne
6. nous lui rendions
7. vous rentriez
8. elle conduise
9. soit, il y ait
10. tu dormes

7

1. Oui, je suis sûr qu'il viendra.
   Non, je ne suis pas sûr qu'il vienne.
2. Oui, je trouve qu'elle en fait.
   Non, je ne trouve pas qu'elle en fasse.
3. Oui, je suis certain qu'il me croit.
   Non, je ne suis pas certain qu'il me croie
4. Oui, je pense qu'elles peuvent...
   Non, je ne pense pas qu'elles puissent...
5. Oui, je crois que c'est possible.
   Non, je ne crois pas que ce soit possible.

8

1. tu viennes la voir.
2. l'avion atterrisse.
3. nous t'aidions ?
4. ce soit une bonne idée.
5. je te dise quelque chose.
6. tu fasses cet effort.
7. cela devienne difficile.
8. tu me répondes vite.
9. ils aillent chez toi ?
10. tu perdes le match.

9

A/

1. dormir tard. 2. me lever tôt. 3. vivre ici. 4. dire ça. 5. aller se coucher.

B/

1. d'être libres. 2. de payer 3. de perdre 4. de tout partager 5. de me perdre

10

A/

1. que tu aies perdu
2. que vous n'ayez pas répondu
3. qu'il n'ait rien compris
4. que j'aie fait
5. que ce pianiste ait bien joué.

B/

1. que tu sois arrivé
2. qu'il ait pu
3. qu'elles aient fini
4. que vous ne soyez pas venu(e)(s)
5. que vous ayez eu

11

1. tu sois parti très tôt
2. vous soyez venus
3. elles aient attrapé la grippe
4. son chat se soit enfui
5. ils aient tout fini

12

1. tu aies gagné
2. vous vous décidiez
3. tu te maries
4. vous ne soyez pas resté(e)(s)
5. s'en aille

13

1. qu'il arrivera ce soir.
2. que tu le préviennes.
3. que les journalistes exagèrent.
4. que nous fassions ce voyage ensemble.
5. qu'elle sait tout.
6. que tu me comprennes.
7. que c'est impossible.
8. que tout le monde parte tôt.
9. que tout va bien.
10. que vous participiez à la fête.

14

1. qu'il ne puisse pas venir ce soir (qu'il n'ait pas pu venir hier soir) ?
2. qu'ils iraient au cinéma.
3. que je le ferais avec plaisir.
4. que ses amis repartent (soient repartis).
5. qu'ils passeraient une semaine chez moi.
6. que nous prenions un taxi ?
7. que je reviendrais bientôt.
8. que la pluie se mette à tomber ?
9. qu'il avait réussi à son examen.
10. que tu ne fasses pas ce travail.

15

1. Je suis étonné
2. Il est surprenant
3. Il faut
4. Nous sommes ravis
5. J'espère
6. Il est dommage
7. Je suis sûr
8. Je ne savais pas
9. Je suis très surpris
10. Je suis certain

16

1. Je souhaite
2. Elle voudrait
3. Elle propose
4. Tout le monde désire
5. Je crois
6. Nous avons de la chance
7. Cela m'étonne
8. Je suis heureux
9. Je pense
10. Je ne comprends pas...

CHAPITRE 28

L'expression de la cause, du temps, du but, de l'opposition et de la conséquence

1

A/
1. Je cours parce que je suis pressé(e). **2.** Elle est triste parce qu'il l'a quittée. **3.** Il a du succès parce qu'il est bon. **4.** Il refuse... parce qu'il a mangé trop de bonbons. **5.** Je suis en retard parce que je n'ai pas entendu mon réveil.

B/
1. à cause du brouillard **2.** à cause des cigarettes **3.** à cause d'une panne **4.** à cause d'une manifestation **5.** à cause de son travail.

C/
1. Puisque tu préfères l'Afrique **2.** Comme il y a beaucoup de soleil **3.** Comme il fait beau **4.** Puisque tu ne veux pas m'aider **5.** Puisque je rentrerai tard ce soir, ...

2

A/
1. parce que je ne veux pas le déranger. **2.** à cause du froid. **3.** puisque le mien est cassé. **4.** parce que ses parents sont absents. **5.** à cause d'un coup d'État.

B/
1. je dînerai seul. **2.** tu dois recommencer ce calcul. **3.** je vais te téléphoner. **4.** elle paraît très fatiguée. **5.** je vous en apporte un bouquet.

3

1. parce qu'ils détestent ..., qu'ils se sentent... et qu'ils adorent la vie à la campagne.
2. parce qu'elle est capricieuse, qu'elle dépense... et qu'elle l'oblige à sortir tous les soirs.
3. parce qu'ils trouvent..., qu'ils pensent que... et qu'ils préfèrent voir les films au cinéma.

4

1. Il veut lui faire un cadeau parce que c'est son anniversaire.
2. ... parce que sa mère lui en a donné la veille.
3. ... parce qu'il sait qu'elle les aime.
4. ... parce qu'avant il était trop petit.
5. ... parce que le vase bleu est grand.

5

A/
1. Quand (Lorsqu') elle est de bonne humeur,
2. Quand (Lorsque) tu es de mauvaise humeur,
3. Quand (Lorsqu') ils partaient en voyage,
4. Quand (Lorsqu') il reverra ses parents,
5. Quand (Lorsque) nous sommes arrivés,

B/
1. Dès que (Aussitôt que) le film se termine **2.** Dès que (Aussitôt que) je commencerai ce stage **3.** Dès que (Aussitôt que) nous arriverons **4.** Dès que (Aussitôt que) vous avez mal aux dents **5.** Dès que (Aussitôt que) le chômage augmente,

C/
1. Depuis que vous faites du yoga **2.** Depuis que le soleil brille **3.** Depuis que tu te maquilles **4.** Depuis qu'elles vivent ici **5.** Depuis que la guerre a éclaté,

D/
1. Pendant que je réponds au téléphone
2. pendant qu'elle réfléchit.
3. Pendant que vous travaillez
4. pendant que nous vivrons au Brésil.
5. pendant que je prenais ma douche.

E/
1. Chaque fois que vous peignez un tableau
2. chaque fois qu'il revenait de voyage.
3. Chaque fois qu'elle a pris la parole
4. chaque fois qu'il s'endort seul.
5. chaque fois que nous le pourrons.

6

1. dès qu'il m'a appelé. **2.** elle semble heureuse. **3.** elle repasse. **4.** vous me le direz. **5.** lorsqu'on se mettait à table. **6.** qu'il lui a dit la vérité. **7.** je vivais en Bretagne. **8.** j'ai eu envie de rire. **9.** je reviendrai. **10.** vous avez rajeuni de dix ans.

7

1. tu as peur. **2.** le pianiste entre en scène. **3.** les coureurs partent. **4.** les autres travaillent. **5.** il hésite longuement. **6.** la nuit tombe. **7.** les oiseaux se mettent à chanter. **8.** il se fait une tasse de thé. **9.** il est parti. **10.** les chats les observent.

8

A/

1. Depuis qu'elle a vu 2. Quand il a fini 3. Aussitôt que son père est sorti 4. Dès qu'ils ont pris leur douche 5. Depuis que leurs parents sont partis,

B/

1. Lorsqu'il avait bien dormi 2. Dès que j'avais reçu une lettre 3. Chaque fois qu'elle avait appris 4. Quand il avait trop bu 5. quand nous nous étions battus.

C/

1. Quand tu auras lu ce journal 2. Aussitôt que vous serez revenu(s) 3. Lorsqu'elle aura remboursé cet argent 4. Dès que tu auras terminé ce devoir 5. Quand vous aurez rempli la piscine,

9

A/

1. avant que le train (ne) parte. 2. avant que ce (ne) soit trop tard. 3. avant qu'elle (ne) fasse une bêtise. 4. avant qu'il (n') y ait trop de monde. 5. avant que la lune (n') apparaisse.

B/

1. jusqu'à ce que tu nous dises la vérité. 2. jusqu'à ce qu'il revienne. 3. jusqu'à ce que nous le parlions correctement. 4. jusqu'à ce que tu le saches. 5. jusqu'à ce qu'il s'en aille.

10

A/

1. Tu fermes le gaz avant de partir. 2. Nous dînerons avant d'aller au concert. 3. Elle lit un peu avant d'éteindre la lampe. 4. Ils s'embrassent avant de se quitter. 5. Il a beaucoup hésité avant d'agir.

B/

1. Après avoir bien cherché ton agenda, tu le retrouves dans ta poche. 2. Après avoir refusé l'invitation, il le regrette. 3. Après avoir couru toute la journée, elles tombent de sommeil. 4. Après avoir attendu l'autobus une demi-heure, j'ai pris un taxi. 5. Après avoir fait ses valises, elle quitte sa chambre d'hôtel.

11

1. Il est parti après avoir dit au revoir à chacun.
2. Il est parti avant de connaître le résultat des élections.
3. Il est parti avant que j'aie le temps de lui parler.
4. Il envoie sa lettre après l'avoir timbrée.
5. Tu prendras ton manteau avant de sortir.
6. Nous reviendrons avant que les vacances ne finissent.
7. Ils font la queue jusqu'à ce que les portes s'ouvrent.
8. Explore le pays jusqu'à ce que tu trouves de l'or.
9. L'avion roule sur la piste avant de décoller.
10. Ils sont sortis du café après y avoir discuté toute l'après-midi.

12

A/

1. Nous ne faisons pas de bruit pour que tu puisses travailler.
2. Elle t'explique la situation pour que tu la comprennes.
3. Enlevez les meubles pour qu'ils peignent plus facilement les murs.
4. Les danseurs répètent pour que le spectacle soit beau.
5. Je la préviens pour qu'elle ait le temps de préparer le repas.

B/

1. Ils travaillent pour gagner leur vie.
2. Tu fais un effort pour ne pas pleurer.
3. Elle profite de ses moments libres pour suivre des cours de peinture.
4. Les scientifiques font des recherches pour découvrir un nouveau vaccin.
5. On devra se lever tôt pour arriver à l'heure.

C/

1. ... pour te donner un cadeau.
2. ... pour que tu me montres ton projet.
3. ... pour partir en vacances.
4. ... pour que tout le monde nous entende.
5. ... pour voir plus clair.
6. ... pour prendre rendez-vous avec toi.

13

A/

1. Bien que cette ville soit magnifique, je ne veux pas y vivre.
2. Bien que tu m'aides, ce travail est difficile pour moi.
3. Bien que les fenêtres soient ouvertes, il fait encore chaud.
4. Bien qu'il ait gagné beaucoup d'argent, il en voudrait plus.
5. Bien qu'elle réussisse tout, elle n'est jamais satisfaite.

B/

1. Bien que je sois allé trois fois voir ce film, je voudrais le revoir.
2. Bien qu'il ait vieilli, il est encore en pleine forme.
3. Bien que vous soyez né en Argentine, vous êtes de nationalité italienne.
4. Bien que Fabiola soit rentrée à deux heures du matin, elle doit se lever à sept heures.
5. Bien que j'aie perdu mes clés, j'ai réussi à rentrer chez moi.

14

A/

1. Ce film est si (tellement) violent que j'ai peur...
2. Ta chambre est si (tellement) petite que je me demande...
3. Ces bijoux sont si (tellement) beaux que nous en achèterons un.
4. Tu parais si (tellement) heureux que cela fait plaisir à voir.
5. Ces arbres poussent si (tellement) vite qu'il va falloir les couper.

B/

1. Il y a tant de (tellement de) soleil que les gens ne sortent qu'à la fin de l'après-midi.
2. J'ai tant de (tellement de) choses à apprendre que je vais commencer tout de suite.
3. Ils ont tant d'(tellement d') amis qu'ils sont invités tous les soirs.
4. Il y a tant de (tellement de) nuages que la mer paraît très sombre.
5. Il tombe tant de (tellement de) neige que la ville devient toute blanche.

C/

1. Ils rient tant (tellement) qu'ils pleurent de rire.
2. Vous voulez tant (tellement) réussir que vous y arriverez.
3. Cet enfant crie tant (tellement) qu'il est fatigant.
4. Il pleut tant (tellement) que nous ne sortirons pas tout de suite.
5. Tu fumes tant (tellement) que tu vas tomber malade.

D/

1. Elle a tellement (tant) dansé qu'elle a très mal aux pieds.

2. Vous avez tant (tellement) dormi que vous semblez reposé
3. Il a tant (tellement) couru qu'il s'assied par terre.
4. J'ai tant (tellement) attendu Michael que je suis furieuse.
5. La température a tant (tellement) monté que la pollution a augmenté.

15

1. J'envoie tellement de cartes de voeux que j'espère recevoir quelques réponses.
2. Elle reçoit tellement de lettres que sa secrétaire est débordée.
3. Tu es si gentil que je ne sais pas comment te remercier.
4. Ce voyage nous a coûté si cher que nous n'avons plus un sou.
5. Cette voiture roule si vite qu'elle double toutes les autres.
6. Elles parlent tellement qu'elles nous fatiguent.
7. Ils boivent tant qu'ils vont avoir du mal à rentrer chez eux.
8. Tu as tant de chance que j'en suis étonnée.
9. Il fait si chaud que je préfère ne pas sortir maintenant.
10. Cet homme est si égoïste que personne ne veut vivre avec lui.

16

– ... ce matin, alors que (pendant que) je prenais mon bain, ... parce que... . Comme je n'ouvrais pas ... à taper si (tellement) fort sur ma porte que...
– Tu sais, on raconte tant (tellement) d'histoires ... qu'il vaut mieux faire ...
– D'accord ! Mais depuis qu'on t'a volé ... !

17

Chaque fois qu'Allan ... .
Lundi dernier, quand (lorsqu') il est arrivé ... , il a téléphoné à ses amis pour leur annoncer son arrivée. Bien que ceux-ci ...
Il a donc pris un taxi pour que le chauffeur... , il s'est baladé jusqu'à ce qu'il fasse nuit. Il avait tant (tellement) marché, il était si (tellement) fatigué qu'il est rentré ... . Quand (lorsqu') il est entré ...

CHAPITRE 29

Le style indirect

1

A/
1. Il croit qu'ils arrivent demain.
2. Elle sait que ce magasin n'est jamais ouvert.
3. Ils annoncent qu'il y a des orages.

B/
1. Ils racontent qu'ils ont pris beaucoup de photos.
2. Tu espères que tu feras du bateau cet été.
3. Elle nous dit que nous avions raison.
4. Ils lui disent qu'il (elle) a menti.
5. Il lui dit qu'il (elle) deviendra célèbre.
6. Il me dit que je leur parle trop vite.
7. Ses parents répètent à Noémi qu'ils lui ont déjà expliqué cela.

2

A/
1. Il demande à sa sœur si elle emporte...
2. Elle me demande si j'ai tout prévu...
3. Ils nous demandent si nous avons couru...
4. Il leur demande s'il y aura un bal...
5. Elle vous demande si vous êtes abonné à un journal.

B/
1. Il lui demande comment il (elle) va.
2. Il lui demande quand il (elle) revient.
3. Il lui demande pourquoi il (elle) est parti(e).
4. Il lui demande combien de temps il (elle) reste.
5. Il lui demande où il (elle) ira ensuite.
6. Il lui demande quelle heure il est.
7. Il lui demande quel âge il (elle) aura en 2010.
8. Il lui demande qui est venu.
9. Il lui demande qui il (elle) appelle.
10. Il lui demande avec qui il (elle) parle.

C/
1. Il me demande ce que je dis.
2. Il me demande ce que je regarde.
3. Il me demande ce que je mange.
4. Il me demande ce que j'attends.
5. Il me demande ce que je pense de l'Europe.
6. Il me demande ce qui ne va pas.
7. Il me demande ce qui reste à manger.
8. Il me demande ce qui m'a choqué.
9. Il me demande ce qui se passera en 2084.
10. Il me demande ce qui est arrivé.

3

A/
Elle lui a écrit
1. que le facteur venait de passer.
2. qu'elle le remerciait de sa lettre et qu'elle allait lui raconter ce qu'elle faisait.
3. qu'elle passait de très bonnes vacances mais qu'il lui manquait.
4. qu'il n'y avait pas trop de touristes et que tout le monde s'amusait bien.
5. qu'elle pensait beaucoup à lui et qu'elle l'embrassait.

B/
Ils ont raconté
1. qu'ils avaient fait le jeudi précédent une excursion en montagne.
2. que le dimanche précédent toute leur famille était venue les voir.
3. qu'ils avaient fini les vendanges la semaine précédente.
4. qu'ils avaient passé le mois précédent à chercher un appartement.
5. qu'on avait découvert du pétrole ... l'année précédente.

C/
Il a promis
1. qu'il le rencontrerait ... le lundi suivant.
2. qu'il essaierait de revenir l'année suivante.
3. que le mois suivant, nous ferions le tour ...
4. que, le vendredi suivant, il y aurait un feu d'artifice.
5. qu'on enverrait une fusée ... la semaine suivante.

D/
Elle lui a demandé
1. s'il l'avait attendue longtemps la veille.
2. qui irait à la gare ce jour-là.
3. ce qui se passerait le lendemain.
4. s'il (si elle) avait reçu sa lettre la veille ou ce jour-là.
5. si ce magasin allait fermer le lendemain ou la semaine suivante.

4

Il lui a demandé
1. de revenir le voir.
2. d'aller voir un médecin.

3. de lui expliquer le mode d'emploi.
4. de lui appeler un taxi.
5. de payer pour eux deux.
6. d'envoyer de ses nouvelles.

5

Ce matin mon père m'a dit :
– Prépare toutes tes petites affaires et tiens-toi prête.
Je te donnerai mon linge pour le mettre dans une
malle. Je suis obligé de faire un voyage, nous allons
partir, il faudra avoir une grande malle pour toi et
une petite pour moi. Prépare tout cela , nous irons
peut-être en Angleterre.

6

1. Le journaliste a demandé à l'actrice pourquoi elle
n'était pas venue ... le mois précédent, si elle n'était
pas heureuse d'avoir gagné ..., si elle jouerait toujours des rôles tragiques.
2. La cliente a dit à la vendeuse de lui montrer le
tailleur rouge ... et de lui dire combien il coûtait.
3. Le policier a demandé à la vieille dame ce qu'on
lui avait fait, qui lui avait pris son sac, si elle pouvait
lui décrire le voleur, quand et dans quel endroit c'était
arrivé.
4. Sabine a dit à Hubert qu'elle ne pouvait pas lui
prêter d'argent ce jour-là mais que, le lendemain, elle
irait à la banque. Elle a ajouté qu'elle espérait que le
chèque qu'elle attendait depuis le lundi précédent
était arrivé.

7

Myriam a écrit à Olivier :
« Je passe de bonnes vacances, il fait beau, il y a
beaucoup de neige, bref, tout va bien ici. »
Elle lui a raconté : « Je suis partie samedi dernier, je
suis arrivée sous la pluie, mais, heureusement, la
neige s'est mise à tomber très vite. »
Elle lui a encore écrit : « Hier, j'ai skié toute la journée et, aujourd'hui, j'ai très mal aux jambes. » Mais
elle a ajouté : « Demain, tout ira mieux, je recom-
mencerai à skier. »
Elle lui a expliqué : « J'ai l'intention de prendre une
piste noire, cela ne me fait pas peur. »
Elle lui a enfin annoncé : « J'arriverai samedi prochain » et lui a demandé : « Pourras-tu venir me chercher à la gare car j'ai beaucoup de bagages ? »
Elle a terminé sa lettre en disant : « Ce sera une
bonne occasion de se revoir ! »

8

Il lui a demandé où elle avait passé sa soirée, avec
qui elle était, quel homme l'accompagnait, ce qu'ils
avaient fait.
Il a continué en demandant si elle pouvait lui
répondre, ce qu'il allait devenir, où il irait, ce qu'il
ferait.
Elle lui a répondu de se taire, de faire ses valises
et de s'en aller.

CHAPITRE 30

La forme passive

1

1. les repas sont préparés par son père.
2. nous ne sommes pas encore servis.
3. mon livre n'est pas encore publié.
4. et vous, êtes-vous choqué(e)(s) par ce mot ?
5. et toi, par quoi es-tu fasciné(e) ?

2

1. Le commissaire est interrogé par une jeune journaliste.
2. La collection d'hiver sera présentée demain par J-P Gaultier.
3. Ce roman a été écrit par Marguerite Duras.
4. J'étais parfois reçu(e) par ces gens.
5. Est-ce que tu n'avais jamais été invité(e) par tes beaux-parents ?

3

A/
1. Les acteurs sont dirigés par le metteur en scène.
2. Le Président de la République sera élu par les Français.
3. Personne n'était intéressé par les discours du député.
4. Ces photographies ont été prises par Nadar.
5. Il avait été défendu par un mauvais avocat.

B/
1. Les révolutionnaires ont détruit ce château en 1789.
2. Les photographes poursuivent le mannequin.
3. La France entière regardera le match de tennis.
4. Un chauffeur nerveux conduisait le taxi.
5. Un inconnu avait perturbé la réunion.

4

A/
1. On vendra tous les tableaux.
2. On a fixé les prix.
3. On a réservé la salle.
4. On a fait une publicité importante.
5. On a prévenu beaucoup d'antiquaires.

B/
1. Les hommes aiment être flattés.
2. Les acteurs détestent être sifflés par le public.
3. Ils ont besoin d'être applaudis par les spectateurs.

C/
1. Des réformes vont être proposées par le chef du gouvernement. 2. Des mesures vont être prises par le ministre de la santé. 3. Les prix vont être modifiés par la direction.

D/
1. Ces jeunes clandestins viennent d'être expulsés par les policiers. 2. Un homme politique vient d'être assassiné par un terroriste. 3. Cette maison vient d'être vendue.

5

1. On vient de retransmettre l'émission en direct.
2. Le président directeur général vient de recevoir les syndicalistes.
3. François Mitterrand a aboli la peine de mort en 1981.
4. On vient de déboucher la bouteille.
5. On va annoncer une nouvelle importante.
6. On signera les contrats à la fin du mois.
7. Des spectateurs mécontents ont interrompu la pièce.
8. On va sûrement interdire cette manifestation.
9. Cette agence de tourisme organise des voyages en Chine.
10. On attendait une vague de chaleur aux États-Unis.

6

1. Un premier texte est écrit par l'auteur,
2. puis, certains mots sont changés (par l'auteur).
3. ensuite, des phrases sont ajoutées (par l'auteur).
4. Le texte est relu par sa femme.
5. Enfin, le manuscrit est envoyé par l'écrivain à un éditeur.
6. Le roman est jugé par des lecteurs.
7. Un contrat est signé par l'éditeur et l'auteur.
8. Le livre est présenté aux journalistes par l'attachée de presse.
9. Le livre est mis en vitrine par les libraires.
10. Et le roman peut alors être acheté par de nombreux lecteurs.

Imprimé en France par Hérissey à Évreux – N° 77024
Dépôt légal N° 2787-06/97 – Collection N° 23 – Édition N° 02